朝日新書
Asahi Shinsho 758

不安定化する世界

何が終わり、何が変わったのか

藤原帰一

朝日新聞出版

霧のなかで考える——まえがきに代えて

ここにまとめたコラムを書きはじめたのは、東日本大震災のあとだった。かつてない震災と原子力発電所事故を前に、多くの発言が重ねられていた。

震災直後には亡くなられた方々を悼み被災者を心遣う言葉があふれ、政府への批判は少なかった。日本はまた立ち上がる、気落ちしないで頑張ろうという呼びかけの陰で、原発事故拡大への懸念は危機を煽る行為として厭われた。事態を招いた責任追及よりも、対処する国民の結束が求められていた。

震災からひと月以上が経ちながら、原発事故の被害は拡大する一方だった。報道も、政府と東京電力の責任追及に一転する。震災が不可抗力であるとしても原発事故には人災としての側面があるからだ。国民の結束に代わり、政府や東京電力の無能と情報隠蔽を指弾する声が高まった。想像を超える犠牲を前に、やり場のない怒りと不満が噴き出した印象があった。

状況の展開に小突き回されるように言論が揺れ動く。当然といえば当然だろうが、目の前の事態が激しく動くときに言論まで浮足立っては仕方がない。震災後の日本が変わる、また変わらざるを得ないことには疑いがない。だが、正すべき問題を自分が捉えているのか、それとも状況に流されて思いつきや偏見を並べているだけなのか、私には自信がない。

　その時々に政策を選択する政治家や官僚は、どのような政策が実現可能なのか、選択の幅がどれほど広いのか、知ることができない。何が可能で何が不可能なのかがわからないまま、前も後ろもわからない霧に包まれたなかで、人々の生活を左右する政策選択を強いられるのである。

　そのなかには誤った状況判断によって実施された政策もあるだろう。太平洋戦争でいえば、その時には避けられないと考えられた戦争も、後から見れば避けることのできた、そして避けるべき戦争であったものに映るようになった。時間が経って初めて、その時々に妥当と思われた決定や行動に潜んでいた誤りが明らかとなるのである。

　学者の本業は、すでに終わった事件や決定を跡づけることだ。霧が晴れ、資料も揃(そろ)い、何が可能で何が可能ではないかがはっきりした時点で議論するのだから、頭が良さそうにも見えるだろう。だが、その頭の良さは役立たずと表裏の関係にある。現場で選択を迫られたときに学者が適切な判断を下すことができるとは考えにくい。

　時事評論は、後出しジャンケンの特権を捨て、実務家と同じ「現在」における選択を議論する空間だ。「現在」の言論を支配する共通了解、社会通念、あるいは偏見に自分もとらわれたままで議論する危険は免れない。実務家とともに霧のなかのピエロを演じることにもなるだろう。実際、同時代に書かれながら後の時代の検証に堪える時事評論は、ごく少ないのである。

試みに三〇年前の総合雑誌を開き、そこで行われる議論を見れば良い。その議論のどれほど多くが冷戦という枠組みによって縛られていることか。さらにいえば、その時代を見つめるよりも、ひと時代前の観念を当てはめて解釈を気取っている文章の方が多い。冷戦に縛られた考え方は、冷戦が終わってからも実に長い間、総合雑誌を支配してきた。時事評論とは現在を語るものではなく、過去を現在に当てはめる文章の別名に過ぎないのではないか。書き手としては、それがこわい。

それでは、過去を振り返るのではなく、現在に身を置いて、その場での選択を語ることはできるのか。政策提言などとたいそうな物言いをする前に、そもそも霧のなかで選択肢を考えることはいったい可能なのだろうか。

朝日新聞の連載タイトル「時事小言（じじしょうげん）」は、福沢諭吉が評論に付した題名のひとつである。なかには、脱亜論を典型として今なお論争を呼ぶものが含まれている時代を感じさせる文章も少なくない。だが、執筆から一〇〇年以上を経た今も、福沢の言葉の緊張感には揺るぎがない。さらにいえば、自分の言葉で考えることのよろこび、いわば悦（よろこ）ばしき知が、どの文章にもあふれている。

もちろん福沢を気取る資格は私にはない。それでもあえてこの題を選ぶ理由は、書かれてから遠く隔たった後でも読むに堪える時事評論があり得ることを『時事小言』が示しているからだ。同時代に身を置いて現在の意味を探ることができなければ、学者をする意味はない。

考えるべきことは多い。自民党政権が倒れて政権交代が実現しながら日本の政治に新しい可能性が生まれた手応えはない。震災を転機として日本の再生を求める議論は多いが、震災前の安定を取り戻せば事足りるのか、廃炉も含めた根本的転換が必要なのか。私自身をとらえる通念や偏見をできるだけ突き放し、何ができて何ができないのかを考えること。それがこのコラムの目的である。

不安定化する世界　何が終わり、何が変わったのか

目次

霧のなかで考える——まえがきに代えて　3

第一章　大国の条件　15

目を背けた責任　16
大国の条件　19
核廃絶　23
要らない戦争　26
運動のなかの空白　30
権力移行　33
緒方貞子さんが教えること　37
エジプトの行方　41
戦争の不条理　44

第二章　北風も太陽も役に立たないとき　49

まだ見えないものを語る　50
民主化の軍事化　53

領土と歴史 57
経済と安全保障の交錯 60
現場の信頼づくり 64
北風も太陽も役に立たないとき 67
戦わないアメリカ 71

第三章 民主主義の後退 75

マーガレット・サッチャー 76
戦争の語りはどう生まれたか 79
日本語だけで足りるのか 83
核削減を実現する方法とは 86
人道的災害を前に何をなすべきか 90
誰の情報をどこまで獲得するのか 93
小国の知恵 96
国を超えて戦争を見る 100
見守るしかないアメリカ 103

第四章　常識が正しいとは限らない　107
軍事的対立の背後に何があるのか　108
戦争をどう阻止するか　111
常識が正しいとは限らない　115
超大国の悩み　118
不寛容に寛容たるべきか　122
私たちの生きている時代　125
イランとの間にある四つの壁　129

第五章　世界の不安定は加速する　133
自己肯定願望　134
日本政府が慎重だった理由　137
同盟と外交　141
無政府状態にどう向き合うか　144
シリア戦争　148
難民キャンプに見るヒント　151

もうひとつのアメリカ 155
トランプ現象を支えるもの 158
世界の不安定は加速する 162
EUという隘路 166

第六章 多数決はいちばんよい制度か

多数決はいちばんよい制度か 171
抑止の限界 172
アメリカと戦争 175
米社会は人種差別から解放されたのか 179
多数決はいちばんよい制度か 182
法の支配なき民主主義 186
反グローバリズムはなぜ起きたか 189
トランプ当選と世界 192
デモクラシーと外交 196
国連はなぜ失敗を繰り返すのか 199
なぜ国民が権力の集中を受け入れるのか 203

国境を超える義務　206

第七章　トランプ大統領と安倍首相の世界　211

トランプを支持するのは誰か　212
大統領の陰謀　215
軽くなったワシントン　219
吉田茂とその時代　222
アジアとヨーロッパの違い　225
中東で起きる新たな戦乱　229
単一民族国家という観念　232

第八章　何が終わり、何が変わったのか　237

短期の変化と長期の構造変動　238
北朝鮮が残した恐るべき「教訓」　241
梯子を外された日本　244
法の支配が弱まるとき　248

何が終わり、何が変わったのか　251
民主主義の後退　255
「新しい冷戦」という妖怪　258
信頼されるための選択　262
謝る前に知っておくこと　265
第二のダンケルク　269

第九章　挑発と誘惑の果てに　273

ＳＤＧｓは机上の空論ではない　274
挑発と誘惑の果てに　277
首脳外交　281
心に引っかかること　284
核戦争は遠い将来の危険ではない　288
孤立主義　291
黙認してはならない　295
動乱期を迎えている国際政治　298

力の格差は当てにならない　302
あとがき　306

第一章
大国の条件

目を背けた責任

コンスピラシー・オブ・サイレンス、暗黙の陰謀という英語表現がある。目前の状況から目を背け、不正の横行や危険の拡大を見逃してしまう。原発事故を前にして感じたのは、それだった。原子力発電の危険性から目を背けてきたという、砂を噛むような思いである。

福島第一原発の事故が起こるまで、原子力発電の安全性を疑う声は少なかった。水力発電や火力発電と違って生態系への打撃や二酸化炭素の排出の乏しい、廉価でクリーンなエネルギーとして原子力発電を評価する声が高かった。

事故発生によって、原子力発電への判断は逆転する。電力の大量消費を見直すべきだという主張があふれ、原発すべての操業を停止すべきだという主張も極論ではなくなった。

従来から原発の危険性を訴える声はあった。幾重に安全設計を施しても、大規模な地震や津波が安全設計のすべてを壊してしまえば破滅的な災害となる。その可能性は、故高木仁三郎氏などによって指摘されていた。

だが、その声に耳を傾けるものは多くなかった。少なくとも私は、不吉な予言から耳を閉ざし、原発の与える電力を享受してきた。原発反対派が極端な議論をもてあそぶ「変な人たち」という立場に追いやられてゆくのを前に、私は何もしなかった。

原子力発電を支持する主張にも一理はあった。原発以外の方法で十分な電力供給が実現できるのか。火力発電による大気汚染や水力発電のための環境破壊を受け入れることができるのか。電力消費を大幅に減らした暮らしなど成り立つのか。そんな声を前にすると、原子力発電もやむを得ないのかという気持ちになった。

しかし、「原発推進」と「原発反対」の二者択一のなかで、原子力発電の危険性をどのように削減するかという具体的な政策課題がどこかに忘れられてしまう。なかでも大きいものが、老朽化した原発のゆくえだった。過去の安全性基準に沿って作られた発電所は危険だが、廃炉には膨大な支出が必要となる。日本ばかりでなく多くの国で、老朽化した原発の操業延長が決定されていった。「原発反対」論に耳を傾けていれば、福島第一は操業を停止していたかも知れない。

電力を享受し、原子力発電の危険から目を背ける。事件が起これば、政府や東京電力に騙(だま)されていたと怒り、自分の沈黙には目を向けない。この構図とよく似た議論がある。国際関係における核兵器の削減である。

広島・長崎への原爆投下という悲惨な経験のために、日本では核兵器廃絶を支持する声が高かった。だが同時に、日米同盟のもとで日本がアメリカの核抑止力に頼ってきたことも否定できない。抑止の実証は常に困難だが、かつてのソ連、現在の北朝鮮や中国が、アメリカによる核攻撃の可能性を恐れずに日本への軍事行動を計画できないことは疑いがない。核廃絶を求める日本は核抑止の受益者でもあった。

核抑止によって現在の国際的安定が支えられているという前提を受け入れたとしても、核削減と将来の廃絶を否定する結論にはつながらない。核削減はユートピアではなく、それ自体が国際緊張を引き下げる多国間交渉だからだ。そこで必要となるのは核に頼る平和から核に頼らない平和への変化であり、具体的な軍縮交渉の実践である。

だが、核抑止による安定を受け入れる人たちにとって、核軍縮とはアメリカの提供する核抑止力の低下であり、日本の国防の弱体化であった。逆に核廃絶運動の側では、核抑止という概念そのものが間違っているものとされ、軍縮交渉は核兵器の全面的廃絶と異なる提案として警戒された。平和運動が、軍縮の具体的な構想よりも広島・長崎の被爆体験を国外に伝えることに力を注いできたことは否定できない。

こうして、核問題に関する議論は、核抑止による安定に寄りかかる政府と、軍縮交渉を切り離した核廃絶を求める平和運動に分裂する。核抑止論と核廃絶論が原則論の段階で向かい合う構図からは、具体的な政策プロセスとしての軍縮を実現する手がかりは見えてこない。

そして国民世論は、核戦争が起これば取り返しがつかないことがわかっていながら、核抑止のもとの安定を受け入れ、核軍縮の構想から目を背けてきた。

今では平和運動ばかりかキッシンジャー元国務長官やペリー元国防長官のようなアメリカ政府の実務家も、核軍縮と廃絶を呼びかけている。核軍縮をユートピアではなく、具体的な政策として考えるべき時が来た。

原発と核兵器をつなぐのは核の危険だけではない。災厄の可能性を説く声に耳を貸さなかった誤りを繰り返してはならない。


（二〇一一年五月一七日）

大国の条件

国際政治における大国の条件は何か。

軍事力や経済力だけでは十分ではない。国際経済はもちろん安全保障においても、現在の国際政治では複数の諸国が戦略的決定や実施に関わることが多い。どれほど軍隊や経済が強くても、数多くの諸国と手を組んだ大国を敵に回せば勝ち目はない。ここで必要となるのは、軍事力や経済力に加え、世界諸国を引き寄せるリーダーシップと信頼である。

冷戦終結後のアメリカは、そのよい例だろう。旧ソ連解体後のアメリカは軍事力でも経済力でも世界各国を圧倒する地位を占めた。これだけ強ければ、世界諸国はアメリカに従うほかに選択がないと考えても不思議ではない。ブッシュ（子）政権は、同盟国の協力を確保することのない単独行動に向かってしまった。

だが、アメリカの力を支えるのは、その国力に加えて諸外国の信頼であり、アメリカと行動を共にする意志である。ブッシュ政権による単独行動は、ドイツやフランスと深刻な亀裂を生み、結果としてアメリカの影響力は衰えてしまった。後を継いだオバマ政権は、単独行動のために衰えた影響力を回復するため、米欧関係の修復に努めざるを得なかった。

さて、日本はどうだろう。東日本大震災後に世界各国から寄せられた支援は、日本への関心と共感が保たれていることを示している。戦後日本が、経済援助や人道支援を通じて築いてきた国際的な信頼の賜物（たまもの）だろう。日本を仲間として受け入れる世界諸国が、日本の対外的な影響力を支えている。

だがその日本では、世界を知ろうという関心が衰えているように思われてならない。

二〇一一年七月九日、南スーダンが独立した。内戦によって膨大な人命の失われたスーダンで、南部が分離独立したのである。残念なことに日本ではこの事件の報道も少なかったが、その南スーダンのすぐそば、ソマリアを中心とするアフリカの角（つの）で干魃（かんばつ）が発生し、一千万人規模の人々の生命が危機に瀕（ひん）していることは当初はまるで報道されなかった。同じ時、イギリスのBBC、アメリカのCNN、ニューヨーク・タイムズなど日本国外の報道機関は、アフリカ東部の干魃を繰り返し伝えていた。内外の報道の落差は明らかだった。

アメリカやイギリスが偉いとか進んでいるとは必ずしも思わない。国境を超えた人道的責任という考えの裏には、国境を超えて政府が活動することを当然として受け入れる意識がある。ソマリア難民を自国の事件のように報道するBBCの態度には、人道的な関心ばかりでなく、世界の辺境を自国政府の関わるべき領域と見なす植民地帝国以来の大国意識が覗（のぞ）いている。

だが、その態度、自分の国で発生したわけではない事象に対しても関心を抱き、情報を収集し、何が出来るのかを考える態度こそ、世界諸国を引き寄せる力を備えた大国の条件に他ならない。国外の情勢に無関心な国家は、どれほど軍隊や経済が強くても、国際政治において責任ある行動を取る大国としての信頼を得ることはできない。

新聞でもテレビでも、現在の日本では国際報道の出番は少ない。伝えられるのは日米関係と東アジア、それも日本の政局と関わりの深い普天間基地問題などが圧倒的である。

昔からそうだったわけではない。一九八〇年代、石油危機からいち早く立ち直った日本では、海外における経済活動の拡大と並行して国際報道の拡充が続いた。日米関係と東アジアに偏る特徴は当時にも見られ、アフリカやラテンアメリカへの関心は決して高くはなかった。それでも、国外情勢を正確に知らなければ日本が成り立たないという感覚があったのも事実だろう。日本経済の世界化が、国際的関心の拡大を招いたのである。

だが、九〇年代の半ばから経済が失速し、企業も海外拠点を撤収してゆくと、国際情報への関心も衰えてしまった。かつて世界一を記録したこともある海外への経済援助は減少に向かった。自民党政権の不安定化、政権交代後の政情不安、さらに東日本大震災が、内政重視の報道姿勢をさらに強めてしまった。世界諸国から信頼を集めながら国外の情勢に関心の薄い日本が、こうして生まれる。

軍事的にも経済的にも、現在の日本は世界の大国である。大国という地位は、自分の国だけでなく、現代世界の抱える課題に取り組む責任を伴い、また責任を果たしてこそ大国として諸外国にも承認され、信頼を受けることができる。経済の衰えた日本は見向きもされない、みんな中国を向いているなどと愚痴をこぼす前に、われわれがどれほど世界を知ろうとしているのか、見つめ直す必要があるだろう。

（二〇一一年七月一九日）

核廃絶

八月は平和を語る季節だ。

なかでも広島と長崎に原爆が投下された六日と九日、核兵器廃絶への願いが繰り返し語られてきた。では、核廃絶はどうすれば実現できるのだろうか。

まず、核兵器が実際に減ってきたことを確認しておこう。米ソ冷戦の下では核弾頭の総数が六万を超えていたが、米ソ冷戦の終結を受けて、その廃棄が進められてきた。一九九一年に調印された第一次戦略兵器削減条約（ＳＴＡＲＴ１）によって両国の核弾頭は六〇〇〇以下とすることが合意され、その後の交渉を経て、現在では米ロ両国で実戦配備された核弾頭は合計五〇〇〇以下、総数でも二万に減っている。核削減は不可能だという議論は、現実から離れたものに過ぎない。

また、核廃絶に向けた新たな動きが始まっていることも見逃せない。二〇〇二年のモスクワ条約以後、米ロ両国による核削減は停滞を迎えていたが、オバマ政権発足を受けて核軍縮への努力が再開され、二〇一一年二月には新たな戦略兵器削減条約（新ＳＴＡＲＴ）が発効したからだ。その間には〇九年四月のプラハ演説でオバマ大統領が、さらに一〇年八月には広島における演説で潘基文（パンギムン）国連事務総長が、それぞれ将来の核廃絶を訴えた。核廃絶は、かつて広島と長崎に原爆を投下したアメリカ政府も含め、次第に受け入れられつつある考え方となってきた。

だが、いま進められている核軍縮によって核廃絶が期待できるとは言えない。そこには三つの問題が残されているからだ。

まず、現在の核軍縮は圧倒的に米ロ両国によるものに限られ、その両国ともに、他の核保有国に対する優位が保たれる限度のなかで核の削減を進めてきた。現在進められている核軍縮とは冷戦期に米ソ両国が蓄えた膨大な核弾頭を減らしているだけであって、核による安全保障という政策を両国が放棄したわけではない。

さらに、米ロ以外の核保有国では核削減の努力が見られない。イギリス、フランス、中国に加え、現在ではイスラエル、インド、パキスタン、そして北朝鮮と、核保有国の数は次第に増加してきた。米ロが核を減らす一方で米ロ以外の諸国が核を減らさないのであれば、米ロ両国の核削減への意欲は低下する。新ＳＴＡＲＴは大きな成果だが、その先の展望は見えない。

さらに、安全保障を核に頼る政策は核保有国に限ったことではない。核を持たない韓国や日本が、いわゆるアメリカの核の傘、すなわち核抑止力に頼る安全保障を続けてきたことは否定できない。核廃絶を求める日本は、同時に核抑止戦略に頼ってきたのである。

では、どうすればよいのか。核の傘あっての安全だ、核廃絶などという目標は日本の国益を損なうという主張があるだろう。抑止戦略そのものが間違っている、核兵器の招く災厄を世界に訴えることで各国政府を核廃絶へと追い込もうと唱える人もいるだろう。

私は、どちらの考えも採らない。核に頼る安全から脱却するためには、核に頼らなくても安全が保たれると各国政府、さらに各国国民が安心できる状況をつくらなければならない。ここで必要なのは、核に頼る安定を、核削減を伴う安定へと切り替えてゆく試みである。

米ロ核軍縮の場合、米ソ冷戦の終結によってその目標は実現に近づいた。だが、東アジア、南アジア、中東では、国際紛争が現実に続いており、核抑止力と核の傘への期待がまだ残されている。新START後の核軍縮、いわば第二段階の核軍縮は、それらの紛争に目を向けた上で、緊張緩和の手段として核軍縮を位置づける必要がある。これまで核軍縮に関心を示してこなかった中国やインドを巻き込んだ、多角的な緊張緩和と結びついた核軍縮の構想が求められるのである。

難しい課題には違いない。核軍縮が政府間交渉によって行われる以上、断固として核削減に応じない国家、たとえば北朝鮮に対して、交渉による軍縮の成果は期待できないからだ。だが、核戦争による共倒れを恐れる政府に対して、慎重な核削減によって核に頼らない平和への移行を求めることが不可能であるとは、私は思わない。そして、軍縮どころか軍拡の進む東アジアにおいて、新たな核兵器の配備を遅らせることができれば、それだけでも大きな成果だろう。

湯崎英彦広島県知事の呼びかけによって、明石康元国連事務次長を中心として、このたび「国際平和拠点ひろしま構想」の策定が開始された。その構想に加わる一員として、核廃絶を現実の政策としてどのように実現できるのか、内外の識者とともに検討を進めてゆきたい。核兵器の削減を米ロ両国政府だけに委ねておくことはできない。

（二〇一一年八月一六日）

要らない戦争

国際政治の研究者として最も難しい選択が、戦争の是非の判断である。政治家ではないのだから、開戦を決める権限も責任もない。状況を左右する力を持たないのに開戦を論じるのは滑稽な思い上がりだ。だが、わかっていても、気にかかるのはどうしようもない。開戦の評価は、戦争の回避を希求しながら状況によっては武力行使が必要なことも自覚するという、国際政治学の本質的な矛盾を突く選択だからだ。

二〇〇三年のイラク戦争では、私は戦争が間違いであると開戦前から確信していた。制空権さえ多国籍軍に奪われたフセイン政権を国際社会への脅威とするのは乱暴だった。独裁体制には違いないが権力は破綻していない。独裁を倒す運動が高揚する状況もない。開戦に踏み切れば多くの犠牲を生む一方、アメリカが国際紛争に対して持つ抑止力を弱め、国際関係は不安定を増すだろう。要らない戦争を戦ってはいけない。アメリカは国を誤るという懸念からこの戦争について書き続けた。

そのうちに、多くの人は戦争の是非には興味がないことに気がついた。戦争は政策の手段だ、いいも悪いもないという議論なら、イラク介入は石油目当てだなどという真相の名の下の単純化は気になるけれど、理解はできる。戦争をすべて悪とするなら迷いもないだろう。だが多くの議論は、アメリカの始めた戦争に日本政府が賛成すべきかどうかだけを問い、その戦争は必要なのか、避けられないのかという議論は見られなかった。

そこにあったのは、良かろうと悪かろうとアメリカについて行くほかはないという議論と、アメリカは何をしようといつも横暴だという議論のどちらかだけ。アメリカはいつも横暴だけどついて行くのが日本に有利だという変形版はあったけれど、戦争一般ではなくこの具体的な戦争について是非を検討する議論は乏しかった。

イラク戦争は要らない戦争、戦ってはならない戦争であったと、いまでも私は考える。だが同時に、武力に訴えることを避けてはならない状況もあるとも考える。多大の犠牲を伴う以上、戦争以外の手段を常に模索すべきことは言うまでもない。だが、多くの一般市民の生命が現実に脅かされるとき、武力行使が必要となる状況もある。

私は、ユーゴスラビア連邦の解体過程におけるNATO（北大西洋条約機構）軍の攻撃は、少なくともボスニア・ヘルツェゴビナに関連する限り、必要だったと考える。ルワンダの内戦について、国連は大規模な介入を行うべきであったと考える。そして、二〇一一年三月の、リビアのカダフィ政権に加えられた国際的軍事介入は必要だったと考える。

リビア介入を石油目当ての利権争いに還元する意味はない。既に欧米諸国と関係を改善したカダフィ政権は西側諸国に石油を提供していた。介入なしに石油は確保されていたのである。

独裁を外から倒すべきでないというのならリビアとイラクのどこが違うのかという声もあるだろう。だが、二〇〇三年のイラクには、即座に介入しなければ多くの国民の生命が失われる切迫した情勢はなかった。他方リビアでは、反政府活動が広がるなか、武装なき一般市民が空爆や艦砲射撃によって攻撃され、その殺戮（さつりく）がベンガジに及ぶ直前の状況があった。武力介入を行えば犠牲者が生まれることがはっきりしているのは同じだが、リビアでは介入しなければ失われる多くの人命があったことは無視できない。

リビア介入は避けられない、避けるべきでないと考えた後も、不安と憂慮が残った。国民評議会の力は弱く、NATO軍による空爆なしには戦闘を続けることができなかった。だが、空爆は一般市民の犠牲を避けることができない。人命は失われ、生活は破壊されるだろう。それが本当に必要な選択なのか。戦争が長期化するのを前にして、政治家でもないのに身の程をわきまえないことを問いかける自分のことを滑稽に思いながら、私は何度も問い直し続けた。

いまでも疑いは残る。カダフィ政権はすでにわずかな拠点を残すばかりまでとなったが、膨大な武器がリビア社会に拡散してしまった。国家が暴力の独占を失い、外国軍の力に頼るという現状にはアフガニスタンを思わせるものがあり、リビアが独裁に代わって破綻国家となる危険は実在する。また、シリアでは民主化運動に大規模な弾圧が続けられて半年を迎えている。なぜリビアには介入してシリアは放置するのかという声もあるだろう。

武力行使の効用を過大評価したり、戦争の正義を信じ込んだりすることは危うい。だが、暴力を抑える上で暴力の果たす役割があることも無視できない。どのようなときに武力行使が認められるのか。綺麗(きれい)な答えはまだ見つからない。

（二〇一一年九月二〇日）

運動のなかの空白

私たちはいま、革命の時代を生きているらしい。それも、何から何へ変わるのか、さっぱりわからない革命だ。

ウォール・ストリートを占領する運動を最初に知ったのは、インターネットのツイッターだった。誰かの呼びかけが次から次へとリレーされ、遠く離れた日本にも伝わってくる。多くの人が集まっているのに新聞やテレビは報道しない、主流派の報道は偏っているなどというコメントもついていた。

実際、ニューヨーク・タイムズを始めとする主流派メディアは、この占拠運動を当初は黙殺していた。だが、ウォール・ストリートそばの公園に居座る人々が増え、ノーベル賞を受賞した経済学者スティグリッツ氏も集会で演説するという事態を迎えると、まずアメリカ国外のメディアが注目し、最後にはアメリカのメディアも大きく取りあげた。インターネットから始まった運動がマスメディアも無視できない事件に発展した。

反響は世界に広がる。一〇月一五日土曜日にはロンドン、メルボルン、そして東京でも集会が催され、ローマで暴動にまで発展する。ツイッターの数も読み切れないほど激増し、各地の集会の模様はユーチューブを通して同時中継される。それらを拾い読みしながら、世界同時多発革命を目撃するような、不思議な気持ちに駆られていた。

二〇一一年初めにチュニジア、そしてエジプトで起こった政権崩壊でも、似た展開があった。フェイスブックやツイッターに始まる運動が拡大し、主流派メディアに伝わり、諸外国に広がっていったからだ。このときにもインターネットを経由した革命などという議論が行われた。

それでも、チュニジアやエジプトの革命の場合は、中東や北アフリカなど、専制支配の下に置かれた地域のできごとだった。ところが、議会制民主主義が定着しているはずのアメリカで起こったウォール・ストリート占拠運動が、エジプトのムバラク政権崩壊と似た展開を示しているのである。

日本でも似たことがあった。尖閣諸島問題を巡る民主党政権の動揺を糾弾する勢力の街頭デモ、原子力発電の全廃を求める街頭デモ、政治的立場ではおよそ逆のこの二つのデモは、ツイッターでは盛んに伝えられながら主流派メディアの報道からほとんど無視された点では同じだった。これはいったい何だろう?

まず、中心となる政治勢力が存在しない。既成政党の支持組織と異なる運動という意味で言えば、政治的立場は逆になるが、アメリカのティーパーティー運動とウォール・ストリート占拠運動には似たところがある。ティーパーティー運動の場合、既成の政治とは異なる政治家を議会に送り込もうという具体的な政治課題があり、二〇一〇年の中間選挙で大きな影響力をふるうことになった。ところがウォール・ストリート占拠運動を見れば、アメリカの社会格差を告発し、銀行や大企業への救済処置に反対するという立場が明確に見えるとはいえ、それを主導する勢力ははっきりしないし、次の大統領選挙で誰を推薦するのかなどという具体的な選択は見えてこない。ツイッターやユーチューブを見る限り、主体も要求もバラバラだ。

二〇世紀の諸革命、たとえばロシア革命や中国革命の中心にボルシェヴィキや中国共産党があったことは明らかだろう。それまでの専制支配を倒した組織が、その専制支配をさらに上回るような抑圧的体制をつくりだすことでも、二〇世紀革命には共通点があった。

ところがエジプト革命でもウォール・ストリート占拠運動でも、膨大な群衆が集まり、国際的に運動が波及しているのに、中心となる政治組織はない。それでもエジプト革命ではムバラク退陣という要求が共通していたが、占拠運動にあるのは現在の経済社会と政治社会への告発であって、目的を実現するために誰に権力を委ねるのか、その政治的選択は見えてこない。

組織の不在と政策の空白は裏表の関係にあると私は思う。多様な考えを持つ人々が集まるためには争点を絞らなければならない。フェイスブックやツイッターを見て集会に参加した人々が、特定の政治勢力に加わる意志を持っていたとは考えにくい。インターネットを経由して結ばれた社会連帯の中心は空白なのである。

国境を横断して、膨大な数に上る人々が、現代資本主義経済に異議を申し立てる。まさに世界革命のような事態が起こっているというのに、それがつくりだす政治の形は、まるで見えてこない。そこで明らかなのは、議会制民主主義をとる諸国においても、既成の政治が吸収していない膨大な不安と不満が鬱積(うっせき)していることだ。その危うさ、恐ろしさだけは政治家の皆さんに見ていただきたい。

(二〇一一年一〇月一八日)

権力移行

中国の軍事的・経済的台頭が著しい。

それでは、世界政治の主役はアメリカから中国に移行しつつあるのか。アメリカに代わって中国が世界の覇権国家となるのだろうか。

国際政治の主役交代を捉える考えとして注目されているのが、権力移行、パワートランジションと呼ばれる理論である。二〇一一年一一月一一日から開催された日本国際政治学会年次大会では共通論題として取り上げられ、東京大学を会場とした九月の日豪国際会議でも主要テーマになった。日本ばかりでなくアメリカでも中国でも関心を集めている権力移行論とは、いったい何だろうか。

一九五八年、アメリカの研究者A・F・K・オーガンスキーは、覇権国家とそれに挑む国家との間に覇権戦争が発生してきたという分析を発表した。覇権を掌握した国家が国際秩序を形成するというオーガンスキーの認識は、力の均衡を主な枠組みとする当時の国際政治学と異なっており、発表当初に反響を呼んだとはいえない。だがアメリカの凋落が懸念された八〇年代には一躍注目され、多くの研究者にも影響を与えた。その後の四半世紀に関心はやや衰えたが、二一世紀に入る前後から、また再評価が始まった。

では、なぜ注目されたのか。八〇年代は日本、二一世紀の一〇年あまりは中国の台頭が進んだ。急成長を続ける国家が登場し、アメリカの優位に疑いが芽生えたとき、権力移行論が浮上した。今回の再評価は中国の台頭が招いた結果である。

ヨーロッパ史を振り返っても、ある国家が台頭し、それまで優位を誇った国家が相対的に凋落する時期には国際関係が不安定になる可能性は高い。中国の台頭が現実となり、日本近海も含めた海洋における中国海軍の活動が激化している現在、権力移行論が注目されるのは当然と言っていい。

では、中国の台頭とアメリカの凋落は覇権戦争を招くのか。この結論に飛ぶ前に、「台頭」がどのような領域で進んでいるのかを吟味する必要があると私は考える。経済における台頭と軍事力における台頭とでは意味が違う可能性があるからだ。

まず軍事力についてみれば、中国における軍事力、殊に海軍力の増強は疑う余地がない。やがてアメリカを凌駕（りょうが）するという予測も、現在のペースが今後も維持されるという前提を受け入れる限りでは成り立つだろう。だが、中国の軍事力を過大評価することも誤りである。同盟によって結びついた西側諸国と異なり、中国と同盟を組む国は北朝鮮だけ。政治的協力関係にある国は多いが、アメリカを相手として中国が軍事行動を起こすとき、中国とともに派兵するとは考えにくい。

二〇一〇年一一月から一二月にかけ、米韓両軍は黄海で合同軍事演習を行った。人民解放軍幹部は外洋戦略を公言してきたが、中国本土にほど近い黄海で軍事演習をされながら手出しができなかったのである。そもそも軍事力に関してはアメリカと中国との隔たりはまだまだ大きい。これに同盟を加えて考えれば、中国がアメリカの軍事的覇権に挑戦する構図を論じるのはまだまだ時期尚早と言うべきだろう。

中国台頭の中心は経済である。軍事台頭と異なり、経済台頭が国際関係を不安定にするとは限らない。

その典型がG20である。リーマン・ショック後の世界経済を再建するとき、中国、韓国、ブラジルなどの新興経済諸国の参加は不可欠だった。経済政策における国際協調と、危機管理のための経済的負担が必要だからである。経済台頭した国家を前にするとき、スクラムを組んで牽制（けんせい）するよりは、なかに取り込んで責任分担を求める方がよほど合理的な行動だった。

中国は、経済的優位を背景とした覇権を主張するどころか、中国は発展途上国だ、まだ大国ではないなどと述べつつ、責任分担や政策調整を可能な限り避け続けた。石油危機のただ中に先進国首脳会議の一員となった日本を思わせるような行動だった。

台頭した経済を既存の大国が抑えつければ需要の拡大する市場を手放してしまう。もちろん台頭した経済が国際体制に適応するとは限らないが、それを向こうに回せば経済成長が滞る。経済台頭は国際体制のなかに取り込み、受容する余地が存在する。

だが、これで問題が終わるわけではない。中国における挑発的な言辞は、経済分野と比べて西側諸国との格差がまだ大きい軍事分野において顕著に見られるが、それがどれほど不合理であっても中国国内では支持を集めている。国際的台頭がナショナリズムの高揚をもたらしたからだ。

覇権戦争は必然ではない。だが、その回避のために腐心しなければ、戦争が起こる危険があることも忘れてはならない。

（二〇一一年一一月一五日）

緒方貞子さんが教えること

飢餓の広がる国があれば、食糧支援を考えるだろう。その食糧の提供が現地の武装勢力によって阻まれたなら、武装勢力の排除をその国の政府に求めることになるだろう。では、それが期待できない状況はどう考えれば良いだろうか。仮にその政府に武装勢力を阻む意志があったとしても、武装勢力の活動を抑制する力を政府が持たない場合、飢餓を阻止するためには、どのような選択が残されるだろうか。

これは架空の事例ではない。二〇一一年、ソマリアを中心とする東アフリカ地域に、過去六〇年間に例がないと伝えられるほどの大規模な干魃が襲いかかった。国連は同年七月にソマリア南部の一部を飢餓地域と認定し、国際機関、各国政府やＮＧＯなどによって食糧支援が企画された。

だが、ソマリア南部を実効支配するイスラム武装勢力シャバブは、国際援助団体に活動禁止を命じた。それも武力によって援助物資の輸送を阻むばかりでなく、その現場から活動家を誘拐するなど、極度に粗暴な方法による人道支援の妨害が続けられた。

ソマリア政府はシャバブ弱体化を目的とする介入を繰り返したが、成果は限られたものに過ぎなかった。この状況を前に、赤十字国際委員会は、二〇一二年一月一三日、ソマリアへの食糧輸送の中止を発表した。武装勢力の実力行使を前にして、人道支援が中断を強いられたのである。

ソマリアばかりではない。学者や実務家は、国内を実効的に統治する力を持たない政府とその下の社会のことを脆弱国家とか破綻国家などと呼んでいるが、そのような破綻国家は、ソマリアの他にも南北スーダン、チャド、コンゴ民主共和国など、数多くの地域に広がっている。北朝鮮などの強権的な国家が国民生活を脅かしているとすれば、破綻国家の下では国家の不在こそが国民を苦しめる元凶であると言ってよい。破綻国家はまさに人間の安全保障が奪われた状況そのものであり、人道的支援はもちろん、状況によっては軍事的介入も必要となる。だが、問題の根源に、政治権力の不在があるために、たとえ軍事介入を行ったとしても、その成果は保障されない。

武装勢力を倒すことに成功したとしても、その後の治安をどのように保つのか。政府の機能しない地域に対し、国外からの介入によって安定した統治をつくることなど、いったい実現できるのか。さらに、関与するための財政的・軍事的負担も大きい。長期にわたる派兵が必要となるからだ。

その結果、国際機関やNGOの強い要望にもかかわらず、各国政府の取り組みは消極的になってしまう。ソマリアにおける事実上の無政府状態は一九九一年から一〇年以上続いているが、九二年に開始された国連による平和維持活動が失敗に終わって以来、実効的な介入は行われていない。

そしていま、破綻国家が拡大する危険が生まれている。アラブの春などと呼ばれたような中東・北アフリカにおける一連の民主化が進むなかで、地域によっては権力の真空が生まれる可能性があるからだ。

NATO軍介入後のリビアでは、暫定政府こそ発足したものの、カダフィ政権に抵抗する過程で大量の武器が国民に流れ、その回収が進まないなか、すでに民兵の間での武力衝突が続いている。エジプトとほぼ同じ時期に民主化運動が高揚したイエメンでは、サレハ大統領が退陣を発表したものの国防相が襲撃されるなど混乱が続き、アルカイダ系武装勢力が首都サヌア付近まで勢力を拡大したと伝えられている。

アフガニスタンとイラクも、民主化が脆弱な国家をつくった事例だろう。戦争によって独裁は倒せても、安定した統治をつくることはできないからだ。アフガニスタンでは軍事介入で倒されたはずのタリバーンが勢力を広げ、米軍撤退後のイラクでも政情不安定と大規模テロ事件が続いている。独裁政権の下で苦しめられた国民が、今度は無政府状態と暴力によって苦しめられてしまうのである。

破綻国家への関与はリスクが高いため、国際的な支援を続けることは難しい。だが、何もしなければ飢餓が広がり、多くの難民が生まれてしまう。アフガニスタンやイエメンのように、破綻国家のなかにテロ組織が拠点を構える危険もある。破綻国家を放置する危険は大きい。

放置を拒んだ一人が緒方貞子氏である。国連難民高等弁務官として難民支援を続け、国際協力機構の理事長として日本の紛争地域支援の先頭に立ってこられた緒方氏のもとで、アフガニスタンやスーダンに対する国際支援が続けられてきた。人々を見捨てないことが可能であることを、緒方氏の営為が教えている。

(二〇一二年一月二四日)

エジプトの行方

国際交流基金の企画でカイロに行ってきた。正味三日あまりだから大口はたたけないが、ムバラク政権崩壊から一年を経たエジプトの現状に触れる機会になった。

もっと正直に言った方がいいだろう。以前から民主化に関心があった。一九八六年のフィリピンにおけるマルコス政権崩壊以後、アジアでは韓国(八七年)、タイ(九二年)、インドネシア(九八年)、またアジアの外に広げるならラテンアメリカ諸国の軍政崩壊や旧ソ連・東欧地域における共産主義体制の崩壊など、時には膨大な群衆の参加を伴いながら独裁体制が倒される過程について調べてきたので、エジプトに行く機会を与えられたことが実にうれしかった。今回のエジプト政変はそれまでに起こった民主化の事例とどこが重なりどこが違うのか、少しでも知りたかった。

フランス革命、ロシア革命、中国革命など、過去の大革命の多くは、それまでの専制支配を倒しながら、それを上回るほどの独裁体制を実現することで終わった。だが民主化の場合、新たな専制支配を生み出した事例はごく少ない。逆に、とてつもない数の人々が集まって独裁者を追放し、旧体制を倒したにもかかわらず、民主化の後にできあがった制度には旧体制とかなりの連続性が認められることが少なくない。フィリピンにおいて革命の熱気が失望と無関心に置き換わるまで半年もかからなかった。ではムバラク追放から一年後のエジプトはどうか、まずそこに関心があった。

まだ移行期が続いているというほかはない。ムバラク大統領は退陣したが、タンタウィ国防相を議長とする軍最高評議会の下で暫定政権が続いている。旧憲法は停止されたものの、憲法改正案も定まっていないのが現状である。

だが、民主化への失望や無関心が広がっているという印象はない。むしろ、まだ進まない民主化を進めようという熱気が一年後のいまも感じられた。

その民主化のターゲットは軍である。もともとムバラク退陣は、民衆の結集ばかりでなく、軍がムバラク大統領を見放すことで実現したという側面があった。その軍による権力保持が争点となることは避けられない。今回カイロに入る直前、サッカー場で起こった暴動をきっかけとして軍政に反対するデモが広がった。講演を行ったカイロ・アメリカン大学でも、サッカー場で死亡した学生の写真がキャンパスの至る所に掲げられていた。軍が政権に居座っている限り、民主化など実現していないというわけだ。

だが、民主化によって生まれた変化への危惧も感じられた。先だって行われた人民議会選挙では、ムスリム同胞団を基盤とする自由公正党が大勝し、厳格なサラフィー派諸政党を合わせると過半数の議席を占めた。今回会うことのできたジャーナリスト、判事、映画監督がみなイスラムの政治台頭と距離を置いていたこともあり、誰もが議会におけるイスラム勢力台頭への懸念を口にしていた。

さて、他国の事例と比較すれば、民主化過程における軍の位置が争点となることは珍しくない。フィリピンではアキノ政権の下でクーデター未遂事件が何度も発生し、そのたびに政権は弱体化した。スハルト大統領退陣後もハビビ政権の下で権力を保持したインドネシア国軍はさらにエジプトに近い事例であり、ここでも選挙後のイスラム諸政党と軍との緊張関係が発生している。そのようなアジア諸国における民主化の経験についてお話しすることが私の講演の目的だった（同行した福元健太郎さんは日本政治について体系的な紹介を行った）。

もちろん民主化研究は政治学でも過去二〇年以上重要なテーマとして議論されてきた。だがこれまでエジプトでお話しされた同業者はラテンアメリカや旧ソ連・東欧の事例を話すことが多かったらしく、東アジアや東南アジアにおける民主化について知識のある人は少なかった。

独裁者追放が民主化の第一幕であるとすれば、その後における憲法改正や議会選挙などの制度形成が第二幕に当たる。第一幕に比べて第二幕が報道される機会は少ないが、政治変動の実質を決めるのは第二幕の方だ。民主化が現実に意味のある政治の変化を伴うのか、独裁者追放という儀礼の後に伝統的な政治勢力が権力保持に成功するのか、それとも政治権力の空洞化がさらに進み、独裁者の下の暴力から破綻国家の下の暴力に国民が晒（さら）されることになってしまうのか、それらすべては制度構築という第二幕によって決まるからだ。エジプトがどの方向に向かうのか、熱い期待は希望的観測として裏切られてしまうのか、行方はまだ見えなかった。

（二〇一一年二月二二日）

戦争の不条理

アフガニスタンに多国籍軍が軍事介入して一〇年を超え、オバマ政権が米軍撤退を準備するなかで、ひとつの事件が起こった。

三月一一日、南部カンダハル州の民家に米軍兵士が押し入り、非戦闘員に向かって銃を乱射した。殺害された一六人のなかには多くの子どもが含まれていた。

アフガニスタンの反発は厳しかった。これまでにもコーラン焼却から死体への放尿に至るまで、アフガニスタンの人々から尊厳を奪うかのような行為に対し、数多くの暴動が繰り返された。今回の事件では容疑者が直ちにアメリカに移送され、アフガニスタン国内では裁判ができなくなったため、アメリカへの怒りがさらに強まった。

だがアメリカのメディアによる報道は、子煩悩な二児の親がなぜ虐殺に走ったのかという一点に焦点が置かれていた。よほどひどい経験をしたのだろう、戦争で人間が変わってしまったのだという判断だ。容疑者ロバート・ベイルズ二等軍曹が入隊前から多くの負債を抱え、家を手放す直前だったことなどがその後に判明するが、すでに事件への関心は薄れていた。

アフガニスタンの反応は犠牲となったアフガン人に関心が集中した。アメリカの報道は米兵の内面ばかりに目を向け、殺された人々がほとんど登場しないばかりか、アフガニスタン介入の是非を問う報道も少ない。同じ事件が、見る側によって違うものとして映るわけだ。

既視感に襲われるのは私だけではないだろう。沖縄の米軍基地でも米軍兵士による暴力事件が繰り返された。日本の報道が犠牲者に集中する一方、アメリカでは日本人の犠牲者について伝えられることは少なかった。長期間日本の司法から米兵容疑者が外されてきたこともアフガニスタンと似ている。アフガン国民の受難には沖縄の経験と重なる点が多い。

だが、日本がアメリカの立場から無縁なわけでもない。第二次世界大戦でも、故郷では好青年や子煩悩の父である人が戦場で酸鼻（さんび）な暴力を繰り広げる事件が繰り返された。犠牲者から見れば日本兵はとても人間ではないもののように映るが、日本の国民は、そのように兵士を突き放して見ることができない。戦争で人間が変わったのだという声はまだ良心的な方で、虐殺などとは言いがかりだという反発が繰り返された。日本の経験のなかには、アフガニスタンにおけるアメリカの立場と重なるものも存在する。

故郷では考えることのできないような非情な行動を戦場で行う人間を作り出すのが戦争の本質である。戦争が人間を変えてしまうというのであれば、その人間の行った暴力から目を背けることも許されない。今回の米兵の行為が上官の指令によって行われたと解釈する余地はないが、この兵士がアメリカ国内に留まっていたならばアフガニスタンの人々も殺されなかった。今回の発砲事件は、戦争全体の不条理のなかで捉えなければならない。

すでにアフガニスタンにおける米軍は解放者としての支持を失い、いわば植民地統治に類する異民族支配としてアフガン国民とカルザイ大統領から早期退場を求められている。そして米軍は撤退するだろう。タリバーンと交渉を進めながら緩やかに退くという道は閉ざされようとしているが、地元の支持を失った統治を続けることが難しく、アメリカ国内世論も早期撤兵を求めている以上、他の選択は考えられない。

では、あの戦争は何だったのだろう。タリバーン政権は倒したが、長期駐留のなかでタリバーンの影響力も復活した。日本の国際協力事業団やNGOを含む数多くの団体が復興支援を行ったが、治安悪化とともに活動が難しくなった。介入当初は多国籍軍を歓迎したアフガン国民も、いまではアメリカ政府への不信を強めている。長期の戦争によって、米軍兵士も深い傷を負ってしまった。

私は、戦争をすべて否定すれば解決になるとは思わない。戦争の否定が自国の関与の否定だけを指すのであれば、国外の暴力と不正を見過ごす危険があるからだ。だが、他の手段が乏しいことを理由として戦争に訴えるなら、今回の発砲事件のような醜い暴力が生まれる可能性がある。戦争のすべてを否定できないからこそ、要らない戦争は絶対にあってはならない。

だからこそ、腑に落ちないことがある。イランの核開発疑惑を前にして、軍事行動は避けられないとする議論がアメリカで広がっている。共和党の大統領候補は競い合うようにオバマ政権の軟弱を非難し、即時空爆を求める候補もあった。また同じ過ちが繰り返されるのだろうか。要らない戦争を戦い、多くの犠牲を生みだしてしまうのだろうか。

（二〇一二年三月二七日）

第二章
北風も太陽も役に立たないとき

まだ見えないものを語る

時事評論を書いて既に二〇年を超える。だが、いまほど政治情勢について書くことが空しく感じられるときはなかった。

北朝鮮による人工衛星打ち上げが迫るという報道に、私は関心を持つことができなかった。北朝鮮政府を信用するからでも、その核武装が招く危険を軽視するからでもない。国外の脅威よりも深刻な崩壊が日本国内で起こっているとしか思えなかったからだ。

税と社会保障の一体改革を唱える政府与党と野党の対決が続き、政治が空転している。これまでに何度も見た光景だ。それで言えば自民党が政権を失ってからの二年半は、民主党が自民党そっくりに変貌(へんぼう)し、自民党は民主党のような野党に姿を変える時間だった。政治学者である以上、これから先はどうなるのか、政党再編や総選挙の展望を考えるべきところだろう。だが、その意欲も湧いてこない。

どう書いたところで、私の言葉が意味を持って受け止められている手応えがないからだ。もちろん最大の理由は私の力不足であるが、それだけでもなさそうだ。東日本大震災の後、新聞のコラムに大学の教員が言葉を書くという行為そのものから信用が失われたとしか思えないのである。こう言えばそれまでは信用されていたのかと切り返されそうだが、従来にも増して信用されていないという砂を噛むような空しさから逃れることができない。

二〇一二年三月、大学院を修了する人々を送る言葉のなかで、立教大学の吉岡知哉総長は次のように述べた。

「東日本大震災とその後の原発事故は、大学が（中略）『考える』という本来の役割を果たしていないし、これまでも果たしてこなかったことを白日のもとに明らかにしてしまった」

吉岡氏はさらに言葉を継いで、「ある時期から、もはや大学には『考える』という役割が期待されなくなったのではないか」とまで述べている。厳しいが、私にはしっくりとくる言葉だ。

ここで問われているのは、大学の教員は仕事をしていないのではないか、専門家としての能力を持たず、意欲も持たないのではないのかということではない。個人の努力の有無ではなく、大学という制度への不信がここでの問題である。

選択肢を示さないからダメだというようにも私は考えない。何を考えるかではなく、何をするかが大切なのだ、現実に行われる政策選択との結びつきを失った分析や解釈には意味がない。そんな批判が大学に向けられて久しいが、眼前の現実を知ることなしに「べき論」を展開しても意味はない。

問題は、「知ること」の意味が失われつつあることではないか。東日本大震災によって多くが亡くなり、さらに多くが生活基盤を失ったとき、いま存在する組織とか制度などにどのような意味があるのか疑いが生まれるのは当然だろう。そのような信頼喪失を前にして、「いまあるもの」の他には選択肢などはないという指摘に終始するなら、その言葉を読み、言葉を聞こうとする人々が減っても無理はない。北朝鮮には軍事的圧力、財政赤字には増税、電力不足には原発という選択は、避けられないのかもしれない。だが、避ける知恵は検討されたのか。大学はその知恵を提示するべき立場にあるのではないか。それをしなければ、大学も与党民主党や官僚機構などと同様に、「いまあるもの」を擁護する制度のひとつになってしまうだろう。

先の式辞において、吉岡氏は「『考える』という営みは既存の社会が認める価値の前提や枠組み自体を疑うという点において、本質的に反時代的・反社会的な行為」であると述べている。「いまあるもの」は何を目的とし、どのような意味があるのか。さらに「いまあるもの」ではないものを現実につくることは不可能なのか。その検討こそが「考える」ことでお給料をいただくという特権に恵まれた大学教員の責務だろう。

私は大学教授が偽牧師のように根拠のない説教をすべきだといっているのではない。北朝鮮との無条件の和平を目指したり増税しなくても財政再建は可能だと述べたりすることは可能だが、根拠のない夢を振りまくことで言葉の信用が取り戻されるとは思えない。

だが、安全保障から原子力発電所の操業再開に至るまで、「いまあるもの」を受け入れ、それ以外の選択を排除することだけが仕事なら、大学教員、さらに役人、政治家、マスコミ関係者の声が国民に届かないのは当然だろう。

北朝鮮との軍事的緊張の解消も、日本の財政再建と経済成長も、原発依存からの脱却も、まだ見えない。それでもなお、まだ見えないものを語らなければ、言説への不信を打ち破ることはできない。

（二〇一二年四月一七日）

民主化の軍事化

民主主義は国民の意思を政治に反映する制度だ、というのが普通の理解だろう。消費税引き上げに関する民主・自民・公明三党の合意などを見るとそこもだいぶ怪しいのだが、ここでは民主主義の持つ別の意味について議論してみたい。それは、暴力に頼ることのない政治という意味である。

もちろん現代国家の特徴が暴力の独占にある以上、暴力と政治を切り離すことはできない。だが、その国家が暴力を行使する相手は何よりも諸外国の武力であって、侵略に対して武力で自衛することは認められるとしても、自国の国民に対する武力行使についてはその国民の定める法によって厳しく制限するのが現代民主主義の基本的な特徴である。

決して綺麗事ではない。国際政治は権力闘争の世界だと考えるリアリストでさえ、国内政治でも武力闘争が避けられない現実だとは主張しないだろう。政党や政治結社が政策を争い、さらに政治権力の争奪に明け暮れるのは当たり前だとしても、武力を用いた権力奪取は不正であり、現実にも排除される。国家に暴力を委ねるからこそ、その暴力を政争のために用いることは認めない。政治の非軍事化なしに民主主義は成り立たない。

だが、現代世界で政治の非軍事化がどこでも実現しているとはいえない。特に、独裁政権から民主政治に換わる過程においては、国内政治から暴力を排除することは極めて難しい。現在のシリア情勢は、その困難を思い知らせる展開である。

その始まりは、他の民主化と似たものだった。チュニジア、エジプトにおける政変を受け、二〇一一年三月ごろから、アサド政権打倒を求める政治集会が高揚する。武器を持たない市民の集会が半年以上も続けられた。

だが、アサド政権による武力行使が拡大の一途をたどるなか、反政府運動は非暴力から武装抵抗へと転じ、国外から武装勢力が流入し、それがさらに軍事弾圧の激化を招いた。国連による和平調停も守られず、多くの子どもを含む一般国民の虐殺が繰り返されながら、国連部隊は撤退を強いられようとしている。

一九八六年のフィリピン・マルコス政権崩壊、翌年の韓国・全斗煥大統領退陣、さらに八九年以後の旧ソ連東欧諸国における革命では、民主化過程における武力行使は小規模のものに留められた。逆に天安門事件に見られるような徹底弾圧で臨んだ中国では、民主化を排除した独裁の長期化が実現した。だがシリアでは、大規模な暴力行使が続けられる一方、アサド政権が政治的安定を回復する可能性はない。民主化も独裁回帰もともに実現しないまま、シリアは事実上の内戦に突入した。

そして、リビアと異なり、国際的な軍事介入が行われる可能性は低い。介入に反対する勢力の中心はロシア、中国、イランの三国であるが、欧米諸国も介入する意思は低い。シリア国内にも国外にも、内戦を阻止する条件は見られない。

シリアと異なるが、民主化過程の軍事化の直前に位置するのがムバラク政権を倒して一年余りになるエジプトである。全面的な武力行使という段階には至っていないが、旧政権を支えた公安警察、旧与党国民民主党、さらに暫定政権を構成する国軍がムスリム同胞団の政治進出を断固として阻止するという構図が固まってしまったからだ。

週末に行われた選挙では、軍出身でムバラク政権の下で首相も務めたシャフィーク氏とムスリム同胞団のムルシ氏が大統領の地位を争った。だがその投票が行われる前に、憲法裁判所が議会選挙は無効であるとの判断を下し、議会に解散を命じてしまった。国軍と裁判所が旧政権の側につくとともに、反政府勢力のなかでムスリム同胞団の占める比重はさらに高まっている。

トルコ、アルジェリア、あるいはインドネシアに見られるように、軍とイスラム勢力が対立する構図は珍しくない。だが、両者が民主政治の枠のなかで争うのではなく、そのルールをゆがめてでも相手を排除しようと試みるとき、政治の暴力化を阻止することは難しい。エジプトにおいて公安警察ばかりか国軍も政治弾圧の先頭に立ち、暴力を伴う反政府活動が拡大すれば、それはエジプト一国に留まらず中東地域の安定を覆すような事態を招くことになるだろう。

民主主義は政治の非軍事化によって支えられる。だが、民主化過程において旧体制が手段を選ばずに権力に固執すれば政治は逆に軍事化してしまう。独裁によって安定を取り戻すという方法も、モラルに反するばかりか、実現が難しい。中東における民主化の春は、内戦と破綻国家を孕(はら)んだ混乱に向かっている。

（二〇一二年六月一九日）

領土と歴史

ロシアのメドベージェフ首相による国後島訪問から二ヵ月も経たない二〇一二年八月、韓国の李明博(イミョンバク)大統領が竹島を訪問し、香港の活動家が尖閣諸島の魚釣島上陸を強行した。日本が軽く見られているという印象は避けがたい。

私は、既に竹島を実効支配している韓国が大統領訪問に訴えることは、日韓関係に新たな対立を加える愚かな行動であると考える。さらに、尖閣諸島から南シナ海に至る地域において、中国政府が日本ばかりでなく韓国、ベトナム、フィリピンの領土と領海を無視する行動を行っていることは容認できないとも考える。領土紛争の政治化や威迫と既成事実による国境の変更は国際関係の安定を損なうからである。

ここでの領土問題は国際関係、つまり政府と政府の関係としての問題だ。しかし、領土問題には別の側面がある。国民と国民、社会と社会の関係である。

私たちは、政府は対立しても国民や社会の間では相互理解が可能だと考えやすい。だが、その反対、つまり政府間では合意ができても社会の間には偏見と反目が続くことがある。領土問題と歴史問題はその典型である。

日本にとっては領有回復が課題となる竹島問題であるが、韓国にとって竹島問題は日本の植民地支配に組み込まれる第一歩、つまり歴史問題の一環であった。韓国との歴史問題は一九六五年の日韓基本条約によって法的に決着したというのが日本政府の立場であるが、韓国政府は慰安婦やサハリン残留韓国人などの問題は基本条約に網羅されていないと主張してきた。これらの課題についてもアジア女性基金や残留韓国人支援などの試みが行われたが韓国国内の反発は強く、日本は歴史問題に取り組んでいないとする国内世論が残された。李明博大統領の竹島訪問と、それに続く一連の発言の背景には、このような韓国の世論がある。

中国における歴史問題は、共産党体制がマルクス主義からナショナリズムにイデオロギーを転換する過程で愛国教育を強化したことから始まった。政府主導のキャンペーンは中国社会の反日感情を拡大し、小泉純一郎首相の靖国神社参拝への反発から二〇〇五年に噴出した反日デモは、共産党体制に挑戦しかねない様相も呈していた。領土領海についても当初は中国政府の主導によって独自の領有権が主張され、各国との紛争を招いてきたが、その過程で国内世論が政府以上に先鋭化する。

今回の魚釣島上陸事件は、中国政府が主導するものとはいえない。政府の焚き付けた世論がその意図を超えて急進化し、政策選択を縛ってしまう。皮肉というほかはない。

国内世論が政府以上に急進化する点では、日本も例外ではない。これまでの日本は韓国と中国に屈服を繰り返し、領土と領海を奪われてきた、いま必要なのは韓国や中国の不当な要求に屈しない断固たる姿勢だ、そんな主張が近年の日本で広がっている。日本で続く経済的停滞と政治の混乱のために、外国から軽く見られているという認識が強まった面もあるだろう。

政府よりも国内世論の方が強硬な対外政策を求めるとき、外交における妥協は敵に対する屈服であるかのように映り、武力行使の可能性が拡大する。第一次世界大戦直前のヨーロッパでは各国のナショナリズムが高揚し、自滅的な戦争を招く一因となった。私は現在の東アジアが戦争前夜にあると考えないが、日本だけでなく韓国でも中国でも政府の信用が低下し、より強硬な対外政策を求める世論が生まれていることは事実だろう。

ではどうすべきか。領土領海については、主権は譲らないが挑発もしないアプローチが必要だ。日本が実効支配する尖閣諸島については日本ばかりでなくアメリカ、韓国、東南アジア諸国連合諸国との連携の下に武力介入を阻止するが、実効支配をしていない北方領土と竹島については法的に主張する一方で武力行使は自制すべきだろう。

また、領土では妥協しない一方、歴史問題については新たなアプローチが必要ではないか。日韓関係でいえば、歴史問題は決着済みだとする日本政府の主張が韓国社会に受け入れられていない現状を直視して、従来の政府合意と河野談話・村山談話に加え、さらに明確に植民地支配と戦争への責任を表明する。日本側のイニシアティブによって、正義の名の下に粗暴な対日偏見が広がる根を断つのである。

これは韓国や中国への迎合ではない。終戦から七〇年近く、日本国民は好戦的ナショナリズムを排除し、民主政治を維持してきた。戦後日本に誇りを持つことが自虐史観になると私は思わない。賢明な外交は、力に加え、諸外国の寄せる信頼に支えられることを銘記すべきだろう。

（二〇一二年八月二一日）

経済と安全保障の交錯

日本政府による尖閣諸島国有化と中国各地のデモと暴動からひと月あまり過ぎたが、日中関係の緊張は厳しい。日中復交四〇周年に関連するイベントの多くは取りやめとなり、国連総会では中国外相が尖閣諸島は日本に盗まれたと演説を行った。日中両政府の対立が収束する展望は見えない。

だが、日中両政府が尖閣諸島の領有権について争う一方、両国の間の貿易はこれまで拡大を続けてきた。いうまでもなく日本にとって中国は最大の貿易相手国であり、中国から見ても（かつてより相対的に減ったとはいえ）日本への輸出は輸出総額の八％近くに及んでいる。これまでの日中関係では、政治的対立の一方で経済交易は保たれてきた。

それでは、経済関係の強化と政治的・軍事的対立との間にはどのような関係があるのだろうか。ここでは経済と安全保障の交錯について二つの議論を立てることができる。

第一の議論は、両国が貿易への依存を深める状況の下では軍事紛争が生まれる可能性が低い、という観測である。戦争になれば貿易関係を保つことは期待できないから、双方ともに経済的打撃が大きい。ここから、貿易が拡大すれば開戦の合理性が減少するという議論が生まれる。

学校で国際政治の授業を受けた人ならおなじみのように、これはアダム・スミスやコブデンの昔から現在の相互依存論まで継受されてきた、国際政治における経済的リベラリズムの議論そのものであるといってよい。実際、第二次世界大戦後の世界を見る限り、先進工業国の間で貿易が拡大する一方、世界戦争のような大規模な軍事衝突は起こっていない。この議論をそのまま当てはめれば、日中関係が緊張したところで戦争の危険はないという結論になるはずだ。

だが、経済的リベラリズムが妥当するとは限らない。これも国際政治の授業でおなじみの事例であるが、第一次世界大戦直前の西欧諸国の間にはかつてない貿易の拡大が見られた。どれほど互いに貿易依存度が増えていても、フランス・ドイツ、さらにイギリス・ドイツの戦争を防ぐ役には立たなかった。例外ひとつで理論が打破されたといえないとしても、第一次大戦を説明できない理論に限界があることは明らかだろう。貿易依存度の上昇が戦争に訴えるコストを引き上げるのは間違いないとしても、コストが高いからと言って戦争が防がれるとは限らないのである。

第二の議論は、貿易の拡大と政治的関係との間の因果関係は小さいと見るものである。実際、東アジアにおける通商と政治紛争との間には、経済的リベラリズムの想定よりもはるかに強い独立性を認めることができる。小泉首相の靖国神社参拝をめぐって日中関係の冷え込んだ二〇〇五年にも日中貿易は増加していた。

私は、経済的リベラリズムよりも、この政経独立論の方が東アジア国際関係を的確に捉えていると考える。少なくとも今回の紛争以前の日中関係に関する限り、政治的対立が経済関係を損なうことは少なかった。だが、そこには落とし穴がある。

政治と経済は独立性が高いと両国が考えるとき、政治的妥協を行うインセンティブは低い。領土が国益や核心的利益として捉えられる状況の下では、相手に妥協することは考えにくい。

妥協しなくても経済的損害を受けないのであればなおさらだろう。

日本政府は、過去の例から見て領土問題に対して中国に譲らない方針を堅持しても日中貿易への影響は乏しいと予測するかも知れない。ここで中国側も同様の想定を立てた場合、双方ともに経済関係への悪影響を度外視して強硬方針を保持することになる。

ここから生まれる帰結は、安定した両国関係の生み出す利益と比較すればはるかに小さい争点をめぐって当事者が妥協を拒み、一歩も引こうとしない状況である。私は中国政府の外洋戦略は国際関係の安定にとって望ましくない、阻むべき政策であると考えるが、それは軍事演習をはじめとする国際的連携の下の威嚇(いかく)によって十分対処可能な状況でもあると考える。そして、既に尖閣諸島を実効支配している日本側が強気の対応に終始することは、緊張を拡大し、日本の経済的利益をも損なう結果をもたらすことを懸念する。

これまでの日中関係において政治的緊張の下でも貿易が拡大したことは事実である。だが、その状況が今後とも続くとは限らない。貿易などのために国家主権を犠牲にしてよいのかと叫ぶ人もいるだろう。だが、尖閣諸島の領有権のために日中両国の間で恒常的緊張が続くことが本当に望ましいのか、改めて考える必要があるだろう。

(二〇一二年一〇月一六日)

現場の信頼づくり

米国政府のお金で、米国の公務員が日本の政府で一年働く。そんな不思議なプログラムがある。マンスフィールド財団という米国の機関による、マンスフィールド・フェローシップである。

給与は米国政府が支出するが、勤めている機関が出向中の給与を負担しない場合は（議会の予算を受けて）マンスフィールド財団が支給する。日本政府における配属は本人の希望と日本側部局の意思によって決まる。フェローに応募する資格はきわめて広く、米国連邦政府に二年以上続けて働いている米国国民なら誰でも応募できるのだから、年齢・性別はもちろん、専門分野にも限定はなく、日本語能力の有無も問われない。

日本語がまるで初めての人であっても、日本の公務員と同様に議論に加わり書類を作成する能力を、たった一年で身につけなければならない。この目標を実現すべく、フェローに選ばれたら最初の一年は徹底した語学研修を受けなければならない。

米国での研修を終えた後は日本に向かい、ホームステイによって日本での暮らしを経験した後、希望する日本官庁の配属先で、日本の公務員に交じって仕事をする。インターンに近い立場だが、本国で既にプロとして実績を上げた人たちばかりだし、なかには年齢が五〇を超える人もいる。大学を出たばかりの若者とはだいぶ違うといっていいだろう。

手の内を明かして言えば、私は第二回のフェローシップ以後ほぼ毎年、このフェローシップに関わってきた。フェロー選考のためにワシントンで行われるインタビューに参加し、日本では派遣されてきたフェローとの懇談を行う。私は、米国はもちろん（大学を別とすれば）日本の官庁にだって勤めた経験はないので、フェローひとりひとりにお目にかかってお話を聞くのがいつも楽しみだった。

このフェローシップは、これまで二〇年近く続いてきた。どうしてこのプログラムが発足したのだろう。

時代は、米ソ冷戦の終結を受けた一九九〇年代初め。日本経済の急成長とともに日米関係は貿易問題で緊張を繰り返していた。紛争が繰り返される背後には、米国政府のなかに日本について詳しい人が乏しいという問題があるのではないか。そう考えたマンスフィールド元駐日大使は、当時のモンデール駐日大使などの賛同も得て、米国の公務員に日本語の特訓を与え、日本政府で働かせるという計画を考えた。

最初にこの計画のことを聞いたとき、そんなの無理だ、と私は思った。日本から見れば、これは米国政府のスパイを日本の官庁に迎え入れ、情報を流出させる陰謀のようなもの。米国政府にとっては、日本専門家と言えば聞こえはいいが、米国の国益よりも日本の利益を重視する日本の代弁者を政府が抱え込むことになる。計画の趣旨には賛同できるが、日米の間に開いた距離の大きさを軽視しているのではないか、長続きしないだろうと思った。

今となっては、不明を恥じるほかはない。二〇年近くもの間、米国政府は毎年四、五人の中堅官僚を日本に派遣し、日本政府は彼らを職場の仲間として受け入れ、その成果として、日米両国の信頼関係を支える数多くの人々がここから生み出されたからだ。

たとえば、危機管理の専門家、レオ・ボスナー氏。フェローに採用された時点で既にキャリアを積んだ方だったけれど、フェローシップを終えた後も日本関係の職務を続け、在日中に東日本大震災を経験すると救援活動に関わり、その後も日本側関係者と協力しながら災害復旧活動を続けている。

ボスナー氏のほかにも、財務省や国務省でマンスフィールド・フェローに出会うことは珍しくない。もちろん日本の代弁者でも、アメリカのスパイでもない。いずれも、日本を知るために二年を費やし、その経験をもとに日米の円滑な意思疎通を図る上で欠かせない存在となった人たちだ。

国際緊張の激しいとき、相手の立場から状況を見る能力は軽視されやすい。だが、自国の主張を押しつけるだけでは相互信頼が生まれるはずもない。マンスフィールド・フェローシップは、日米のカナメとなる人々を育ててきた。米国公務員を受け入れることができるほど日本が開かれた社会だったことも成功の一因だろう。

両方の視点から国際関係を見ることのできる人々を育てなければ、小さな国際的緊張がエスカレートする危険が生まれる。連邦予算削減の影響を受けて、マンスフィールド・フェローシップは大幅に縮小されてしまったが、外交関係の安定は人材養成に支えられていることを銘記すべきだろう。

（二〇一三年一月二一日）

北風も太陽も役に立たないとき

北朝鮮が三回目の核実験を行った。この事態を前にして、どのように対処するべきだろうか。経緯を振り返ってみよう。

第一のサイクルは、一九九三年から二〇〇三年である。九三年に北朝鮮が核不拡散条約（NPT）から離脱する意思を表明してミサイル実験に踏み切ると、西側諸国と北朝鮮の関係は一気に緊張し、九四年には軍事介入の直前に至った。カーター元大統領訪朝を転機として米朝枠組み合意が実現し、九六年以後は食糧援助も提供されるが、北朝鮮政府の政策転換を招くことはなく、〇三年に正式にNPTから離脱するとともに食糧援助も終わりに向かった。
NPT離脱を受けて発足した六者協議が第二のサイクルであるが、協議の断続したこの時期、北朝鮮はミサイル実験に加えて〇六年には核実験にも踏みきった。六者協議が中断した後には核実験、ミサイル実験、さらに一〇年には韓国の大延坪島が攻撃され、今回の核実験に至る。

西側諸国は軍事的威嚇や経済制裁と経済援助や外交努力という北風と太陽の間を揺れ動き、どちらも成果を収めることがなかった。金正日の死去によって新たな指導者となった金正恩の下でより柔軟な外交政策に転換するという期待も、二回のミサイル実験と今回の核実験によって裏切られた。

何が問題なのだろうか。

まず、北朝鮮の政治体制には正統性がない。核開発や日本国民の拉致もさることながら、北朝鮮国民の人権を、そして生命を奪ってきたからである。カリフォルニア大学サンディエゴ校のステファン・ハガード教授らの推定によれば、九五年から九九年にかけて飢餓のために死亡した北朝鮮国民は六〇万から一〇〇万人に及んでいる。国民を餓死に追いやりながら体制の保全ばかりに力を注ぐ政府に正統性を認めることはできない。

では、軍事的圧力を加えれば良いのか。問題は、抑止だけでは北朝鮮の行動を変えることができないという点にある。いうまでもなく北朝鮮の行動を抑える中核はアメリカの核抑止力であるが、九三年以後の展開を見ればそれだけでは北朝鮮の行動を変えることができないのは明らかだろう。経済制裁についても中国を除いた諸国は制裁の規模を拡大してきたが、効果を上げていない。

そして、先制攻撃によって北朝鮮の体制を倒すことも賢明とはいえない。北朝鮮の軍事拠点は山中や地中に設けられていると考えられ、核兵器を用いない限りくまなく破壊することは難しいからだ。核兵器によって先制攻撃を加えたならば韓国の反発は必至であり、核を用いない攻撃であっても体制打倒を目指すような軍事行動に対しては中国・ロシアが反発することは避けられない。先制攻撃による体制打倒、レジーム・チェンジを目指す戦略は、人道的に疑問であるばかりか、北朝鮮に向かい合う各国の協調を壊し、国際紛争をかえって拡大する危険もある。外交交渉に期待はできないが、軍事行動の合理性も乏しい。そこに北朝鮮問題の難しさがある。

北風も太陽も役に立たないとき、状況の膠着(こうちゃく)は避けられない。今回の核実験について国連安保理は非難決議を行うことが予想されるが、それによって北朝鮮の政策が直ちに変わることは期待できないだろう。

では、膠着状態を甘受するほかはないのか。鍵を握るのは中国の対応である。

これまで中国にとって北朝鮮は、中国国境まで米軍が押し寄せることを防ぐ、国防のためのコマのようなものだった。しかし、北朝鮮との関係を保つ限り中国は西側諸国との緊張が避けられない。一〇年に大延坪島を北朝鮮が攻撃した際に中国は北朝鮮批判を手控えたが、その結果として、大延坪島攻撃の直後、中国本土に近い黄海で米韓両国が合同軍事演習を行っても、座視するほかはなかった。北朝鮮を抑制しない限り中国も孤立することが示されたのである。

今回の核実験に対し、既に海上の安全通航を巡って日本ばかりかＡＳＥＡＮ諸国やアメリカとも緊張をかかえる中国が北朝鮮を支援すれば、西側諸国の結束を強め、北朝鮮ばかりか中国も孤立を深めることになる。西側諸国による経済制裁が既に最大規模に達した現在、軍事行動以外に北朝鮮を抑制する手段を持つ政府は中国しか存在しない。実現がきわめて難しい課題ではあるが、北朝鮮政策において中国を西側諸国と共通した政策に導くほかに、現在の膠着を打開する方法はない。

北風も太陽も役に立たないとき、状況を変えることは難しい。だが膠着から脱却しようとして先制攻撃や宥和（ゆうわ）的な妥協に走れば、状況はさらに悪化してしまう。必要なのは北朝鮮に向かい合う諸国が結束を強化することだろう。

（二〇一三年二月一九日）

戦わないアメリカ

二〇〇三年三月一九日、米軍を主体とする多国籍軍がイラク攻撃を開始した。このイラク戦争は、戦争に積極的なアメリカから消極的なアメリカへの転機となった。

〇一年に発足したブッシュ政権には、ラムズフェルド国防長官やチェイニー副大統領のように、同盟国の支持が乏しくてもアメリカは軍事行動に訴えるべきだと考える人たちがいた。九月一一日の同時多発テロ事件はラムズフェルド氏やチェイニー氏の発言力を強め、イラクを攻撃する伏線となった。

イラク戦争についてアメリカ政府の掲げた公式の理由は、イラクが大量破壊兵器を隠し持っているというものだったが、実際の目的はフセイン政権の排除にあった。湾岸戦争を戦った際にフセイン政権を延命させた誤りを正してフセイン政権を倒す、体制転覆（レジーム・チェンジ）の戦争である。

フセイン政権は確かに倒されたが、その後のイラクに生まれたのはシーア派を主体とする政権だった。フセイン政権の下では稀であった政治テロも、いまでは日常のように繰り返されている。イラク戦争によってイラクが以前よりも安全になったとは言えない。

戦争の犠牲は大きかった。米軍の死者だけでも四五〇〇人以上、一般市民の犠牲者は一三万人を超えると推定されている。これほどの犠牲を正当化するような成果がイラク戦争によってもたらされたと考えることはできない。

この混乱を引き継いだオバマ政権は、アフガニスタンとイラクからの撤兵を急いだ。撤兵が進むなかでアラブの春が起こり、リビアでは反政府勢力への軍事弾圧が展開したが、仏・英の呼びかけにもかかわらず、オバマ政権はリビア介入に消極的姿勢を崩さなかった。ヨーロッパ諸国の批判を押し切ったイラク戦争とは反対に、ヨーロッパ諸国よりも戦争に消極的なアメリカという新しい構図が生まれた。

戦うアメリカから戦わないアメリカへの転換は初めてのものではない。ベトナム戦争での事実上の敗戦を受けて生まれたカーター政権は、人権外交という旗印を掲げながら、イランにおける大使館人質事件やニカラグアにおけるサンディニスタ革命を前にしても、直接の軍事介入を手控えた。大規模な軍事介入の後で軍事介入の回避に転じた点において、オバマ政権の対外政策にはカーター政権と似た特徴を認めることができるだろう。

戦わないアメリカへの転換は、日本にどのような影響をもたらすのだろうか。過去半世紀の間、日本は戦うアメリカに頼り続けてきた。アメリカの核抑止力と実戦経験に頼ることで、日本が過大な兵力を抱え、あるいは実戦に参加することなく平和を享受できるという選択である。

この政策には限界がある。まず、どの戦争を戦うかという選択はアメリカ政府しか行うことができない。イラクよりも北朝鮮のほうが日本にとって脅威であると訴えたところで、戦争するのが米軍である限り、日本政府の影響力は乏しい。だが、自分でコントロールすることはできなくても、番犬が獰猛(どうもう)ならば安全を脅かされることは少ない。アメリカ頼みの安全保障にはそれなりの合理性もあった。

とはいえ、アメリカが軍事行動に消極的になれば、この選択は限界に直面する。イラク戦争から一〇年経った世界がいま向き合うのはその状態、すなわちアメリカが戦争を行う意思が乏しいなかでどのように安全を確保するのかという課題である。

念のために確認しておけば、イラク戦争は要らない戦争だった。不要の戦争に多大の兵力を投入すれば、他の地域において軍事展開する力を削(そ)がれ、抑止力が低下することは避けられない。だが、アメリカが戦争に消極的になれば世界が平和になるわけでもなく、逆に米軍が介入しない可能性を期待した好戦的行動を招く可能性がある。不介入路線を保持したカーター政権の下でソ連はアフガニスタン侵略を開始し、カーター政権の対外政策が一転するきっかけとなった。いま北朝鮮、イラン、あるいは中国によって軍事行動が行われたなら、同じような転換が起こるだろう。

ではどうすべきか。イラク戦争の事例が示すように、どれほどの軍事大国であっても、一国の兵力によって軍事介入を続けることは難しい。その困難を打開するために必要なのは、安全保障における国際協力である。多国間の共同行動に基づいた安全保障を準備することによって、単独行動のリスクを回避しつつ、多国間協力に根ざした抑止によって国際紛争の激化を未然に防止するのである。好戦的なアメリカは危ういが、戦争をためらうアメリカも危うい。一国に頼らない安全保障を構想することができるのか、いま問われているのはその一点である。

（二〇一三年三月一九日）

第三章
民主主義の後退

マーガレット・サッチャー

先日死去したイギリス元首相のマーガレット・サッチャーとは、どういう人だったのだろう。それをうかがわせる一つの挿話がある。

友人に誘われて、サッチャー首相がコンサートに赴いたことを回顧録で触れるなかで、教会音楽を好きだと友人が覚えていてくれた、それが嬉しかったとサッチャーは書いたのだが、回顧録の書評はそこをつかまえて、ヘンデルもパーセルも区別を立てずにまるごと「教会音楽」などという言葉に押し込めても恥ずかしいとは思わない、そこがいかにもサッチャーらしいと記していた。

その通りだ、と私も思った。食料品店を営む親のもとに生まれたサッチャーは、同僚の保守党や労働党の議員のように出自に恵まれたという人ではない。オックスフォード大学を卒業してはいるが、大学では哲学や歴史のような人文的教育ではなく、自然科学を専攻している。家柄に恵まれ教養豊かな伝統的なイギリス政治家なら古典音楽の蘊蓄を傾けるだろうが、サッチャーは違う。

その回顧録は自分が何をしたのか、何が問題だと考えどのような決定を行ったかという記述に埋め尽くされ、チャーチル回顧録のような気取った文体は見ることができない。

だが、サッチャーの教養の欠如を見下したかのようなこの書評は、いかにも意地が悪い。ヘンデルとパーセルをまとめて教会音楽と呼んでも別にいいじゃないか。そして、教養の欠如などを指摘されてもそれを恐れないのがサッチャーだった。身分と学歴で人を差別するような階級社会のなかで、教養などに顧慮することなく中産階級の視点に終始したのである。サッチャーは信念の政治家であり、見方を変えれば幅の狭い政治家でもあった。サッチャーの信念は小さな政府であり、財政支出の削減、経済規制の緩和、そして労働組合との対決という路線もそこから生まれた。自分と異なる信条の持ち主と対話することは少なく、政治的な妥協をきらう。サッチャー時代のイギリスが紳士の妥協よりも信念の対立と闘争によって彩られるのは当然だった。

福祉国家の見直しを求めたサッチャー政権の政策は経済格差の拡大を招いたが、サッチャーが富裕層を代弁したとは必ずしも言えない。むしろ、貴族でも労働者でもない中産階級の視点に終始することがサッチャーの本質であり、そこに新しさがあった。

第二次世界大戦後のイギリスでは労働党が政権を掌握し、福祉国家が樹立された。だが、政治の担い手が労働者だったわけではなく、貴族や富裕層、学歴ではオックスフォードやケンブリッジの卒業生が政治家や高級官僚を独占し続けた。労働者とは縁遠い人々によって福祉国家が支えられたのである。

イギリスの中産階級から見れば、これは社会主義に影響されたお金持ちの坊ちゃんと既得権の擁護ばかりに走る労働組合によってイギリスが破壊される過程にほかならなかった。過度にリベラルなエリートと政府に寄生する組合に立ち向かった点において、サッチャーは中産階級のチャンピオンだった。

サッチャーの首相就任はイギリス政治の転機となった。六〇年代のイギリスは野放図に自由なファッションやポピュラー音楽で世界をリードする一方、経済は失速し外交でも主導権を失った。サッチャー政権以後のイギリスは文化的な発信こそ衰えたものの、経済的には再生した。フォークランド戦争はイギリスの愛国心を鼓舞するとともにサッチャー再選のきっかけとなった。

当初はサッチャー路線との対決に走った労働党も政策を転換し、ブレア政権にみられるように小さな政府路線との妥協に向かった。イギリスばかりでなく、アメリカ、さらに日本を含めた世界各国に、サッチャー政権の施策が巨大な影響を与えたことは否定できない。

だが、サッチャーが首相を退任してから二〇年以上が経った今、その功績は色あせようとしている。現在のイギリスでは、保守党・自由民主党連立政権の実施した緊縮財政は、いまのところ経済停滞を招くだけで終わっている。フォークランド戦では消極的な軍を押し切って戦争が進められたが、この文民指導者が戦争を求める構図はその後のアフガニスタンとイラクへの派兵に引き継がれ、多大な犠牲を招くことになった。

短期的にはイギリスを再生したサッチャー路線も、長期的には賞味期限を迎えた。新保守主義とも呼ばれる政治潮流を引き起こしたサッチャーが息を引き取ったとき、その潮流も確実に過去のものとなっていた。


（二〇一三年四月一六日）

戦争の語りはどう生まれたか

橋下徹大阪市長の記者会見と、ツイッターで市長が発表した文章を巡る一連の報道を見ると、時間が経つと戦争経験は単純化して語られるという印象が深い。慰安婦を集める過程に強制はなかった、世界各国の軍が慰安婦制度を活用したと当たり前のように語られているからだ。

戦争の記憶として一般に語られるのは、その社会の多くの人が受け入れ、時には政府によって国民教育の柱とされる公式の記憶である。その対極には、公式の記憶のように受け入れられることはないが少なからぬ人の語り続ける私的な記憶がある。

日本における公式の戦争の記憶は、軍人ではない日本国民、つまり日本の非戦闘員の経験に集中してきた。戦争が繰り返されてはならないという思いから体験者が語り部となって次の世代にその経験を伝えるとき、語り部の多くは広島長崎の被爆、あるいは沖縄戦や東京・阪神空襲を生き延びた人々だった。

公式の記憶に含まれないのが、日本軍兵士と、日本人ではない戦争犠牲者の経験だった。その多くが自分の意志に反して戦場に送られただけに兵士にも犠牲者という面があるが、戦場の暴力を担うため無垢(むく)の犠牲者とはいえない。日本人ではない犠牲者の経験も、海外はともかく日本では表現される機会は少なかった。日本軍兵士と日本人以外の戦争犠牲者の戦争経験は、私的な記憶に留(とど)められ、日本国民一般に知られることは少なかった。

軍人ではない日本国民を主体とした戦争の物語は戦争一般を排除する平和主義の基礎となったが、非戦闘員に目を向ける一方、日本政府や軍兵士の役割が論じられることは少なかった。戦争すべてが否定されるとき、その戦争を引き起こした責任は追及されなかったのである。

日本の外では、戦争一般の犠牲ではなく、日本やドイツの侵略が日本とドイツ以外の人々に加えた暴力が戦争の記憶の中核となり、ホロコースト、南京、あるいは慰安婦を中心とする戦争の語りが生まれた。

　アメリカであれば、軍国主義とナチズムの暴力を語ることは、それを打ち倒した正義の戦争としての第二次世界大戦という意味づけと裏表の関係にあった。中国では、日本軍の侵略を語ることが抗日救国の主体として共産党を正当化する意味も持っていた。これらの視点から見れば、日本における戦争の記憶が戦争責任の自覚を伴わない限り、戦争の現実から目を背けた健忘症として映ることになる。

　それでも、戦争経験者が言論の中心として活動した過去には、公式の記憶と異なる戦争が伝えられることもあった。日本兵を主人公とした五味川純平の長編『人間の条件』や、『総員玉砕せよ！』をはじめとした水木しげるの自伝的戦争マンガ、あるいは中国人を主人公として日中戦争前後の状況を描いた堀田善衛の小説『時間』には、公式の記憶には含まれない経験が語られている。

　五味川純平や堀田善衛に見られる微妙なニュアンスを持った私的な記憶は、いまでは吹き飛んでしまったかのようだ。軍による強制を示す資料が確認されないという一点に頼って、河野談話を否定し、慰安婦制度は軍周辺に広く見られる売春と同じものと見なす考え方が日本社会に広がっていった。日本の外では、慰安婦を強いられた人々の語りを中心として慰安婦制度が性奴隷制として語られているだけに、慰安婦と売春を同視すれば国際問題となることは避けられない。だが、元慰安婦の語りがほとんど知られていない日本では、海外からの批判が不当な誹（そし）りのように映る人もいた。日本への偏見をこめた批判であればなおさらである。

このように突き放すような分析だけを綴（つづ）れば、おまえはどう考えるのかという声があるだろう。長期にわたって広い地域で展開しただけに慰安婦制度について判断を下すことは難しい。だが、数多くの証言をすべて虚偽だとしない限り、慰安婦を集める過程に全く強制がなかったという議論には無理があるだろう。いわゆる河野談話が、根拠なしに韓国の主張を受け入れたものだという指摘にも賛成できない。さらに、慰安婦の経験は戦争にはつきものの性暴力の一つに過ぎないと考えるならば、慰安婦の人々が経験した暴力の実情に目をつぶることになってしまうと私は考える。

無謀な戦争が海外で多くの人命を奪い、兵士を含む日本国民に甚大な犠牲を強いたことは事実である。それを語ることは自虐ではない。既に日本国民は戦争とそれに走る政治体制を過去のものとしたはずだ。過去の正当化によって現在の信用を失ってはならない。

（二〇一三年五月二一日）

日本語だけで足りるのか

西欧と肩を並べる国家形成を目指して以来、外国文化の吸収は近代日本の課題だった。科学技術だけではない。旧弊に閉じこもった日本を変えるためには欧米諸国の政治制度やその基礎にある価値観を学ぶ必要があるという自覚が、近代日本の知識人を支えてきた。外国の言葉を話し、その知識や文化を伝える官僚、知識人、そして大学が西欧化の担い手になった。外国語を話さない国民には翻訳を通してその成果が紹介された。翻訳を読むだけで外国に発信することはできないし、外国語で意思を伝えることのできる官僚や学者は稀だったから、文化の流入は一方通行だった。とはいえ、外に目を開くことがなければ日本の変革があり得ないという感覚が多くの国民に共有されていた時代はあった。

高校生の頃から、私は翻訳文化を好きになれなかった。外国から学ぶとはいっても、何を翻訳するか、それを選ぶ過程には翻訳者の裁量が働くため、もとの文化とどこかに隔たりが生まれてしまう。外国紹介を仕事にする大学教師が特権を振りかざすのも奇妙なことに思われた。

だが、国外に目を開くことに意味がないと思ったわけではない。翻訳を通すことなく原語を通して外国に学ぶ、いや、ただ学ぶのではなく、同じコミュニティーの一員として外国の人々と議論し一緒に仕事をするのが当たり前ではないか。翻訳文化とはその状態に変わる前の過渡的な現象に違いないと思っていた。

実際、翻訳文化とその時代は過ぎ去った。だが、代わって訪れたのは原語を通し国境を超えて議論を行う空間ではなく、日本語を読み、日本語で考え、翻訳された文章さえもあまり読まない空間だった。

日本が経済成長を遂げ、欧米を模倣する時代は終わったなどと叫ばれた石油危機以後の時代、人文主義の古典をたたえ大衆文化を蔑視してきた教養主義が崩壊に向かった。別に教養主義がなくなっても外国から閉じこもる必然性はない。だが、ベートーベンの代わりにプレスリーやビートルズを聞く世代もやがて高齢を迎え、外国映画にはお客が集まらず、ヒットするのはＪ－ＰＯＰ、翻訳物で売れるのはミステリーかビジネス指南という時代に突入した。教養主義とハイカルチャーの崩壊は、ハイカルチャーとマスカルチャーを併せた外国文化からの撤退と重なっていった。

翻訳文化はファッションのように身にまとうだけで定着などはしなかったと皮肉に構えることもできる。ベートーベンを聴いた学生も中年になれば黒田節を唸（うな）ったのだろうし、旧制高校でデカルトとカントとショーペンハウエルを読んだ人たちは自滅的な戦争を支える一員に加わった。外国語離れという指摘も間違いかも知れない。仕事の現場で外国語を使う人はむしろ昔より増えているはずだ。外国の専門誌に掲載された論文を読まない自然科学者に仕事ができるはずもない。

それでも、政治や社会を考えるときに日本語で書かれたもの、それも翻訳ではない日本語の文章を読み、ほかの言語で書かれたものを読まずに考える人々が異様に膨れあがったのは事実だろう。第二次世界大戦中のように政府によって強制されるからではなく、日本の外に広がる意味空間を、自分の選択によって排除するのである。

アメリカ人だって英語だけで勉強する人がほとんどなのになぜ日本人が外国語を読まなければいけないのかと言う人がいるだろう。だがイヤな言い方を承知で言えば、外国語、特に英語で書かれた文章は、質量ともに日本語で構成された空間とは比較にならない。東西冷戦終結後の四半世紀、ヨーロッパ各国でも韓国でも中国でも英語で構成された空間のなかで活動する人々が急増した。英語を母語としない人も英語で発信し、学術成果を発表するのが当たり前になった。英語を使わないと仕事にならないのだから無理もない。

ところがその時代の日本は、以前よりも日本語の世界に引きこもっていった。経済成長も達成し国内だけで大きな市場を持つのだから外国に目を向けなくても生きていける。英語を使わなくても豊かな生活を保持できるのは幸福だと言うこともできるだろう。しかしその幸福は、ものを知り、考え、議論する空間が日本語の世界に縛られるという犠牲と引き換えに得られたものだった。

翻訳文化と教養主義の復活を求めるのは時代錯誤に過ぎない。だが、言語は思考を拘束する。日本語のみに頼ることで私たちの知識や思考が狭められていないのか、日本が世界の内弁慶に陥ってはいないのか、改めて考える意味はあるだろう。

（二〇一三年六月一八日）

核削減を実現する方法とは

広島と長崎に原爆が投下されてから、日本では毎年のように核兵器廃絶への願いが誓われてきた。だが、核廃絶を求める声の半面には、核兵器に頼る国防がある。

米国の核兵器によって他国による侵略を防ぎ、日本国民の安全を保つ。ここにあるのは、日米同盟と米国の核兵器を軍事的威嚇の中心とする政策、すなわち核の傘への依存である。

核廃絶を求めながら核の傘を受け入れる二重性が、冷戦期から現在に至る日本政治に流れている。

それでは、核兵器に頼らなければ日本の安全を保つことはできないのか。北朝鮮の核開発や日中両国の軍事的緊張を前にして、どのように東アジアにおける核兵器の削減を考えることができるのか。湯﨑英彦広島県知事の呼びかけに応じて二〇一三年七月二九日と三〇日に開催された「ひろしまラウンドテーブル」のテーマはそこにあった。オーストラリア元外相ギャレス・エヴァンス、川口順子(よりこ)元外相、沈丁立復旦大学教授など内外から多くの識者の参加を得ることができた。

この会議においてプリンストン大学のジョン・アイケンベリー教授と私が共同で提出したペーパーでは、東アジアにおける核軍備管理の提言を行った。世界規模における核軍縮の提案は川口・エヴァンス構想を始めこれまでにも例はあるが、軍事的緊張を抱える地域に関する提案は少ない。私たちの課題は、軍事的緊張があるから核管理は無理だと断念するのではなく、逆に軍備管理交渉を緊張緩和と信頼醸成の手段として用い、東アジアにおける国際的な緊張がより大規模な紛争に発展することを防ぐことにあった。

難しい作業には違いない。まず、核軍備管理が核軍縮ではなく、まして核廃絶ではないことへの異論があるだろう。アメリカと中国が現在保有する核弾頭の数に大きな格差があるため、中国を核兵器削減のプロセスに招き入れることは極めて難しい。アメリカが核兵器削減に向かうなら同盟国はアメリカが守ってくれないと考えて独自の軍拡に進む可能性も残される。核に頼る安定を核に頼らない安定に反転するためにはいくつものハードルを越えなければならない。

これらの点はペーパーを準備する過程でも自覚していたが、会議のなかで改めて認識を新たにした点がある。核兵器は既に各国の安全保障において中心的な役割を失いつつあるということだ。

中国政府による軍備拡大はよく知られているが、その重点は海軍、航空機、そしてミサイルに置かれ、核兵器の世代更新の優先順位は必ずしも高くはない。北朝鮮を典型として、現代世界で核兵器を重視する諸国は、通常兵器による国防を期待出来ない諸国に集中している。最大の核保有国であるアメリカでも、無人攻撃機の開発や使用が頻繁に行われる一方、核兵器の世代更新が進んでいるとはいえない。

それどころか、キッシンジャー元国務長官やペリー元国防長官など、平和主義とは対極に位置する人々からも核の削減と将来の廃絶が呼びかけられている。オバマ大統領がプラハとベルリンで行った演説もこの流れの中で捉えるべきであろう。それは核廃絶という理想だけではなく、核兵器の国防上の重要性が減少し、核開発よりも核拡散の防止のほうがより重要となった現代国際政治の特徴を反映しているのである。

重要性が減ったからといって核廃絶を期待できるわけではない。米ロ両国の核軍縮交渉も米ロ両国の他国に対する核の優位が保たれる限度でしか進んでいない。さらに、核保有国の微妙な力の均衡が国際関係を支配する限り、核の削減が国際的不安定を拡大する懸念もある。

それでも、安全保障における核兵器の相対的重要性の低下は、核に頼る平和を変える機会は提供するだろう。拡大抑止、すなわち軍事大国が自国だけでなく同盟国への攻撃の抑止も図る戦略はこれまで核の傘と同じ意味に用いられることが多かったが、この会議の議論では拡大抑止と核の傘の区別に議論が集中した。傘が要るとしても核でなければならないのかという問題提起である。

冷戦期に恐れられたのは核兵器を用いた米ソ両国の戦争だった。ここでは核兵器が重要だからこそ核軍縮の必要性が叫ばれた。核兵器の役割が減ることは、通常兵器による軍拡、さらにその行使の危険を伴うために、手放しで歓迎することはできない。しかし、これまでにない核削減の機会が生まれたと考えることも可能だろう。核廃棄の願いと核抑止への依存の二重性を克服するために、核削減を実現する方策をこれからも探っていきたい。

（二〇一三年八月二〇日）

人道的災害を前に何をなすべきか

シリアへの対応が揺れ動いている。英国下院の否決を契機として英米両政府の計画する軍事攻撃が後退し、米ロはシリア政府に化学兵器の提供を求める案に合意した。攻撃から外交への転換はなぜ起こったのか。外交による問題解決は可能なのか。状況を整理してみよう。

二〇一三年八月二一日に化学兵器使用の疑われる事件がシリアで起こった。シリア政府が化学兵器を使用すれば一線を越えたことになると一二年夏にオバマ大統領は述べており、その一線を越えたという判断が攻撃計画の背景となった。だが、化学兵器の使用は立証できても政府と反政府勢力のどちらが使ったのかを明らかにすることは難しい。ミサイルで空爆を加えてもアサド政権の行動が変わる保証はない。制裁としての空爆には実効性が乏しく、英国下院が政府提案を否決する一因となった。

政府の求める戦争を議会が否決することは稀である。米国下院も軍事攻撃を否決する公算が大きく、オバマ大統領が攻撃から外交に軸足を動かす原因の一つとなった。英米両国で行政と立法の関係を変える事件が起こったのである。

英米議会の抵抗の背後にはイラク戦争の経験がある。だが、シリア情勢は二〇〇三年のイラクとは違う。

戦争直前のイラクでは内戦はなく、化学兵器の使用も過去のことだった。現在のシリアでは、二年あまりの内戦によって、国連によれば全土家屋の三分の一が破壊され、住居を失った人々が六〇〇万人、難民も二〇〇万人に上ると推定されている。放置すればさらに多くの人々の生命が失われ、反政府勢力の急進化も避けられない。イラクと異なり、シリアでは人道的災害が現実に発生していると考えるほかはない。

問題は、人道的災害を前に何をすべきかという点にある。東西冷戦終結後、人道的災害には多国による軍事介入が必要だとの議論が広く行われ、国連でも「保護する責任」という言葉のもとに人道的介入の条件が議論された。シリア攻撃計画はその延長のなかでとらえることができる。

人道的介入が求められる一方、介入する側の条件については議論が乏しかった。冷戦終結から二〇年を経て、国連安保理の決定に基づく紛争地域への軍事介入はむしろ減っている。ユーゴ介入、アフガニスタン介入、さらにイラク戦争、どの事例も国連決議で正当化しているが、安保理の決議に基づく平和維持活動ではない。

それでも構わない、という声もあるだろう。無法な暴力を前にするとき、求められるのは迅速な軍事力の行使であり、国際的な合法性は第一の要請ではない。そんな判断が国際機構の決定手続きを横に置いた軍事介入を支えていた。

しかし、国際機構の裏付けを持たない軍事攻撃は軍事大国による侵略と選ぶところがない。そこでは大国以外の各国政府の意思が表明される機会は乏しく、「国際社会」が「力の支配」と同じ意味になってしまう。大国国内の議会や世論が関わる機会も少ない。軍事大国への無条件の承認が人道的介入を支えるという逆説がここにある。

その流れが変わった。ロシアや中国ばかりでなくドイツやイタリアをはじめとした欧州連合（EU）諸国も、英仏の求めたシリア攻撃に懐疑的な立場を表明した。そこにはシリア攻撃の効果に対する疑いに加え、軍事大国の一方的な行動を追認することへの警戒をうかがうことができる。イラク戦争を始めとする過去の軍事介入で軍事大国の政治指導者に与えられた白紙委任が見直されようとしている。

化学兵器の申告をシリア政府に求めるという米ロ両国の合意はその背景のもとで結ばれた。だが、化学兵器の使用を阻んでもシリアの人道的災害は続いてしまう。

ここでの課題は、何よりもシリア国民の安全を、最小限度の軍事関与によってどう実現できるのかという点にある。政府による暴力的な弾圧のすべてを阻止することが難しいとしても、せめて難民の安全を図ることはできるはずだ。そして難民支援の一環として、国連安保理の決定に基づいて地上軍を派遣することは、ミサイルによる空爆よりは具体的な成果を導く可能性が高いだろう。

軍事大国が「国際社会」を代行して得られる安定は思いのほか脆いものに過ぎない。だが、その教訓に学んで軍事力の使用を放棄するだけではシリアの荒廃を打開できない。化学兵器の撤去に加え、各国政府、さらに各国国民の承認に基づき、紛争地域の住民が少しでも安全となる具体的な対応を図らなければならない。

（二〇一三年九月一七日）

誰の情報をどこまで獲得するのか

特定秘密保護法案について行われる議論のほとんどは、政府が秘密を隠すことによって国民の知る権利が奪われるのではないかという論点に集中しているようだ。だが、別の問題もある。それは世界各国の政府によって電子メールや電話の内容が監視され、国民の個人情報が政府に筒抜けとなってしまう危険である。知る権利ではなく、国家に知られない権利の問題だ。

二〇一三年五月、アメリカ国家安全保障局（ＮＳＡ）の元外部契約職員エドワード・スノーデン氏が、大量の政府文書とともに香港に逃亡した。各国の報道は逃走するスノーデン氏をロシア政府が受け入れるのかどうかという点に焦点を置いていたが、事件の本質は政府による情報収集の実態が内部告発された点にあると見るべきだろう。スノーデン氏が手にした情報の報道を抑えるべくイギリス政府は強い圧力を加えたが、その干渉をはねのけるように英ガーディアン紙は報道を続け、世界の政治指導者三五人の電話をＮＳＡが盗聴していたことも暴露された。

情報収集の対象は政府だけではない。ガーディアン紙によれば、ＮＳＡは携帯電話の事業者に対して数百万人に上る通話履歴の提出を求めていた。誰に誰が電話したのかという、まさにプライバシーそのものの情報が、国民の知らないところで政府に伝えられようとしていたのである。

ＮＳＡの活動を可能としたのはデータ通信の拡大だった。かつての情報収集には盗聴器の設置やスパイの養成が必要であったが、現在は大量の電子データにアクセスするだけで膨大な情報を手に入れることができる。人手によってそれらを解明することは不可能だが、キーワードを設定しその結びつきを検証することで、「怪しい通信」を機械的に抽出することはできる。ビッグデータの時代が訪れることでかつてない規模の諜報（ちょうほう）活動、いわばビッグインテリジェンスが実現するのである。

ここで気になる報道が一つある。共同通信によれば、ＮＳＡは光ファイバーケーブルを経由する電子メールや電話の傍受に協力するよう、日本政府に打診を行っていたという。当時の民主党政権は法制度の不備などを理由としてこれを断ったというのだが、打診が行われた二〇一一年の後にどんな展開が続いたのか、私の見る限り報道はない。

そして、特定秘密保護法案の第九条には、一定の要件の下で外国の政府または国際機関に特定秘密を提供できるという定めがある。日本政府が以前には断ったメールや電話の傍受を受け入れる方針に変わる可能性は否定できない。

こういえば、侵略やテロの脅威に関連する情報を各国が共有するのは当たり前ではないかという反論があるだろう。私も、国防をはじめとする特定の領域について政府が情報を秘匿することは、許されるばかりか必要な行動であると考える。さらに、個人のプライバシーを踏みにじるようなマスメディアによる報道は弁護の余地がない、いま必要なのは知る権利よりもマスメディアに知られない権利ではないかとさえ考える。

だが、侵略やテロの防止が必要であるとしても、その目的を達成するためにどのような情報の獲得が許されるのか、個人情報の保護と安全保障の要請との間のバランスをどのように取ればよいのかという問題は残る。国家による情報収集と機密保護は、常に国民の私的自由、国家の干渉から私生活を守る権利との緊張関係に立つからだ。

誰の情報をどこまで獲得してよいのか、その判断が国民の手を離れて政府に委ねられるのなら、国防の必要という名の下で国民のプライバシーが奪われ、警察国家のような状況が生まれてしまう。さらにいえば、大統領さえ解任できないまま米連邦捜査局（FBI）に居座り続けたフーバー長官を見ればわかるように、情報機関が政府のなかにもう一つの政府をつくってしまい、当の政府さえコントロールのできないモンスターとなってしまう危険もある。

すでに指摘されているように、現在の日本政府は情報収集と機密保護の両面においてまだまだ不十分であり、制度づくりが必要なのは事実である。だからといってグローバルスタンダードに従えばいいわけでもない。スノーデン氏は、アメリカやイギリスを中心として、政府によるビッグデータの収集と捕捉が進められていることを暴露した。特定秘密保護法がそのようなデータ収集の一環となり、国家に知られない自由が侵されるのではないか。それが、特定秘密保護法案のはらむもう一つの問題である。

（二〇一三年一一月一九日）

小国の知恵

日本が東南アジアに帰ってきた。安倍晋三首相は最初の海外訪問にＡＳＥＡＮ諸国を選び、加盟国すべてを訪れ、年末には各国首脳を東京に招いた。東南アジアを学んできたひとりとして嬉しいことだ。

東南アジア諸国との関係は日本外交の柱だった。そこには第二次世界大戦で戦場とした諸国から信頼を得る必要と、海外市場を確保するという経済的な要請があった。戦時賠償は政府の途上国援助に引き継がれ、雁行型発展などと呼ばれる地域分業の下で、ＡＳＥＡＮは日本の選挙区だと宮沢喜一氏が形容するほど政治協力も進んだ。

だがＡＳＥＡＮ諸国が発展して経済援助から卒業すると経済外交は後退し、不況のため日本の直接投資も衰えた。小渕政権を最後に日本はＡＳＥＡＮ諸国に関心を失ったとＡＳＥＡＮの事務局長から言われたこともある。ＡＳＥＡＮから日本は遠ざかっていった。

日本と入れ替わりにＡＳＥＡＮに接近したのが中国である。経済大国として台頭する中国は経済外交を進め、対中貿易の拡大とともにＡＳＥＡＮ諸国と中国の結びつきが強まった。

だが中国は、軍事的な脅威でもあった。南シナ海におけるフィリピン・ベトナムと中国との領土紛争は一九九〇年代から激化していたが、二〇〇九年に入って核心的利益の名の下に中国の領土要求が強まると、ＡＳＥＡＮの対中警戒が強まり、二〇一〇年の拡大外相会議では議長国ベトナムの下、中国との間で領土領海に関する激論が展開された。中国との経済関係を強めながら軍事的には警戒するという相矛盾する対応が生まれたのである。

安倍政権によるＡＳＥＡＮ回帰の背後には中国への牽制があった。南シナ海で中国との対立を抱えるＡＳＥＡＮ諸国と連携することで、中国を牽制するネットワークをつくるのである。

もちろんそれだけではない。オバマ政権に入って、アメリカもＡＳＥＡＮ重視に転じていた。日本企業は中国市場への過剰な依存を回避するために中国リスクのヘッジに向かい、その投資はインドネシアを頂点とするＡＳＥＡＮ地域に流れていった。対中政策だけがＡＳＥＡＮ回帰を生み出したとはいえない。

それでも日本のＡＳＥＡＮ回帰に対中牽制という動機が働いていたことは否定できない。そして私も、中国への警戒を共有する諸国との連携を深める政策には賛成である。ただ問題は、どのような方法によって中国を牽制するのか、という点にある。もしその牽制が冷戦期のような軍事力を中心とする封じ込め政策という形だけを取るならば、その政策自体がアジア地域の分断と緊張激化を招く可能性も生まれてしまう。

二〇一三年一二月一三日と一四日、アジア・アメリカ五大学によるアジア安全保障に関する国際会議がシンガポール国立大学で開かれた。私にとってこの会議は、日本のＡＳＥＡＮ回帰をＡＳＥＡＮ諸国がどのように捉えているのか、知る機会になった。

そこでわかったのは、安倍政権のＡＳＥＡＮ重視は広く知られ歓迎されているが、中国を抑え込む手駒にＡＳＥＡＮが使われることへの警戒も強いことだ。ＡＳＥＡＮ諸国は対中政策の違いが大きく、中国との対立はＡＳＥＡＮの結束を妨げる。日中両国とも結びつきを保ち、どちらを選ぶのかという選択は避けたい。大国は利用しても追随は避けたい。勝手といえば勝手、わかるといえばわかる政策だ。

そのなかで興味深かったのは、南シナ海紛争を議論するなかで、シンガポールの学者が、国際司法裁判所や国連海洋法条約など国際法と国際機構を通した解決を重視したことだ。

もちろん南シナ海と東シナ海を一緒にはできないし、国際法の手続きに沿った解決に中国が同意するのか疑わしい。それでも、国際法と国際機構を通して領土領海を考える姿勢には、優れてＡＳＥＡＮらしい特徴が感じられた。

ＡＳＥＡＮは北東アジア・東南アジアを通じて、唯一の実効的な地域機構であり、それを構成するのが超大国ではない諸国である。軍事制圧という選択を持たない諸国にとって、軍事的緊張に向き合う方法は超大国に頼るか国際法と国際機構を活用するか、そのどちらかしかない。そして大国を利用しつつも全面的な依存は避けたいのであれば、国際機構や制度を通して自分の利益を実現するほかに選択はない。

大国ではないからこそ国際法や制度を重視する。この小国の知恵に日本も学んではどうか。力だけでなく、世界各国と協力して国際法と制度の遵守を中国に求めるという方針で領土問題に対処すべきだろう。

（二〇一三年一二月一七日）

国を超えて戦争を見る

安倍首相の靖国神社参拝の波紋がやまない。防空識別圏設定のために国際的孤立を深めていた中国は首相参拝への批判を繰り返し、国際関係を不安定としているのは日本だ、中国ではないというキャンペーンを展開している。日本の在外公館は反論を行っているが、効果を上げているとはいえない状態だ。

どうすればよいのか。日本政府の対応は、軍備増強と攻撃的政策を進めているのは中国だ、既に公的に謝罪した戦争責任を問い直すよりも中国への警戒が重要だというものだ。その通りなのだが、これだけでは第二次世界大戦を日本が正当化しているとの懸念を取り除くことはできない。

日本の外から聞こえる声は、ドイツのように戦争責任を自覚し、謝罪を行い、補償せよというものだ。村山談話が謝罪と呼べるのか、アジア女性基金は補償といえるのかなどという一連の議論がそこから生まれることになる。

私は、日本政府は村山談話によって戦争責任を認め、謝罪を行ってきたと考える。第二次世界大戦について日本国民が健忘症にかかっているという外国で広く見られる議論にも賛同できない。だが、村山談話を堅持すれば歴史問題が解決するとも考えない。繰り返してきた謝罪が相手の胸に届いていない現実から目を背けてはならない。

問題は犠牲者の選択にある。植民地支配と第二次世界大戦の犠牲者が日本国民に限られないことはいうまでもない。だが、これまでに日本で語られてきた戦争は、広島・長崎の被爆を中心とした、軍人ではない日本国民が戦争の犠牲となった物語が中心となっていた。

この広島の語りに対し、従軍した兵士の名誉回復を求める靖国の語りが近年の日本で広まっていった。日本の外では、日本人ではない犠牲者を主体とする記憶、いわば南京の語りが戦争の記憶の中核にあった。

どの語りが正しいという選択には意味がない。広島・長崎、あるいは東京大空襲の犠牲者が追悼されるのは当然だろう。殺された側から見れば日本軍の兵士は加害者だが、自分の意思に反して戦場に送られた兵士が大多数を占めただけに、同じ兵士に被害者という側面もあるのだから、追悼されること自体は当然だ。日本の侵略によって殺害された人々がその遺族から悼まれるのもまた当然だろう。

だが、特定の犠牲者だけが追悼されるとき、戦争の記憶には政治性が生まれる。南京の語りによって戦争を記憶してきた人の目には、靖国の語りはもちろん、広島の語りも異様に見えるだろう。逆に広島を通じて戦争を記憶してきた日本国民は、南京の語りに出会うとき、なぜ戦場で人殺しをしたわけでもない自分が殺人者のように語られるのかとまどい、反発することもあるだろう。

国境を超えて戦争を見ることはできないのか。その可能性を示す挿話が、一つある。

家族の多くを日中戦争で失った郭宝崑（クオパオクン）氏は、中国からシンガポールに逃れ、やがて劇作家となった。後に招かれて日本を訪れたとき、郭は自分の故郷に近いところで死んだ日本兵士の墓に出会う。殺人者を追悼する人がいることに衝撃を受けた郭宝崑氏は、その経験を踏まえ、「霊戯」と題する戯曲を執筆した。登場するのはすべて亡霊、それも日本人ばかりであることが次第にわかってくる。そして、登場する亡霊の誰もが、戦争によって失ったものを語っている（郭宝崑『花降る日へ　郭宝崑戯曲集』）。

自分の家族を日本兵に殺されながら、第二次世界大戦が日本国民にとっても喪失であったことを郭宝崑氏は捉え、それによって戦争そのものを描いた。すでに『戦争を記憶する』に書いた挿話をここで繰り返すのは心苦しいのだが、改めて思うことがある。日本に住む私たちは、日本国民ではない人々の経験した戦争を知ろうとしてきただろうか。

一月末に東京で開かれた国際会議で歴史問題が議論されるなか、ひとつの提案が行われた。それは、安倍首相が南京を訪問し、習近平国家主席が広島を訪問する、つまり日中の首脳が相手の国民の戦争経験に触れるという提案である。オバマ大統領が広島を、安倍首相が真珠湾を訪れてはどうかという提案もあった。

そんなことをすれば相手を勢いづかせるだけだ、という懸念もあるだろう。中国やアメリカに迎合するのかと反発する人もいるだろう。だが、国籍や地域を限ることなく戦争の犠牲者を見る視点を得ることで初めて、戦争の記憶をナショナリズムから解き放つことができる。その時ようやく、日本の語る未来を他の国民も共有することが可能となるだろう。

（二〇一四年二月一八日）

見守るしかないアメリカ

集団的自衛権の行使は憲法に違反しないという解釈を日本政府が提起している。米国政府の要請が背後にあると考えるのが普通だろう。集団的自衛権を否定することで日米同盟における日本の軍事協力が狭い範囲にとどめられてきたことに対し、米国政府は繰り返し不満を表明してきたからだ。しかしいま、そんな歓迎や圧力は、少なくとも公式には認めることができない。

なぜだろうか。それを考えるためには、米国政府のアジア政策を振り返る必要がある。

二〇一一年一一月、クリントン米国務長官は外交専門誌に寄稿した文章で、イラクとアフガニスタンから兵力撤収を進めるアメリカが進めるべき次の政策とは、アジア太平洋に軸足（ピボット）を動かすことであると指摘した。寄稿の直後から、このアジアへのピボットとはいったい何を意味するのか、議論が沸き立った。

各国による臆測、期待、あるいは懸念が高まるなかで、翌年六月、パネッタ米国防長官は各国の国防担当者を集めたシャングリラ・ダイアローグの壇上で演説を行い、東アジアにおいて平和と安全保障を図るためには国際的なルールと秩序の形成が欠かせない、その規範と制度形成を促すために地域における同盟を強化する必要があると主張した。パネッタ氏の声明は、クリントン氏の文章に補強を加えたものとして受け止められた。アメリカの対外政策はアジアに軸足を動かしたのである。

その背景は議論するまでもないだろう。テロとの戦いを掲げたブッシュ（子）政権のもとでアメリカがアフガニスタンとイラクという二つの戦場に兵士を送り続けるなかで、経済軍事の両面で中国が台頭し、経済的には連携の必要をますます強めながら軍事的にはアメリカの同盟国や友好国との軋轢（あつれき）を生み出していた。東アジアにおける安定と繁栄を、中東から兵力を撤収したアメリカが次に進めるべき政策課題として掲げることには不思議はない。

問題は、何を手段に、どこまでその課題を追い求めるかにあった。他国の排他的経済水域を侵すような中国政府の領海主張に対して、どのような手段を用いて対抗するのか。TPPのような、各国政府の政策遵守を強く求める貿易制度を東アジアにおいて実現するためには、どのように各国政府の賛同を確保することができるのか。

「アジアへの軸足」に取り組むアメリカは、ジレンマを抱えていた。対外的影響力の源がその軍事力にあるとはいえ、既にアフガニスタンとイラクという二つの戦闘で多くの犠牲を払った米軍を新たな紛争に派遣することは避けなければならない。抑止は求めても実戦は回避したいという判断が、アジアに向いた軸足の力を弱めてしまう。

そのジレンマを端的に表現するのが、尖閣諸島をめぐる日中両国の緊張である。尖閣諸島の国有化を宣言した日本に対して中国政府と中国社会が極度に強硬な反発を示した二〇一二年九月以後、米国政府は中国への軍事的牽制を強めるのではなく、むしろ日中両国の妥協を模索した。日中間の領土紛争のために米中戦争の危険を冒す意思はないからである。

アメリカ単独で力を行使しないのなら、同盟国の協力を強めるほかはない。だが、慰安婦をめぐる日韓両政府の対立を典型として、それぞれの国内政治に根ざした地域対立をアメリカが打開することは難しい。また、東アジアの緊張を招いた主な原因は中国政府の行動であったが、就任後ほぼ一年慎重な外交に終始した安倍首相は、二〇一三年一二月に靖国神社に参拝したために、日本が緊張拡大の引き金となる懸念を招いてしまった。東アジア諸国の対立を前にしたアメリカは、自らの軸足を動かすだけでは打開を見込むことのできない東アジアの緊張を見守るほかにないという状況に追い込まれていった。

集団的自衛権に対して行われたこれまでの批判の基底には、日米同盟のために日本が戦争に巻き込まれるという懸念があった。だが、いま戦争に巻き込まれることを懸念しているのは、日本よりはむしろアメリカのほうだ。安倍政権の集団的自衛権容認方針を前に慎重な立場に終始するアメリカの背後には、地域各国を操作する力の乏しいアメリカという現実がある。

私は、国際社会の一員として日本政府が必要な武力行使に当たることが必要な状況は存在すると考える。だが、いま求められるのは、アメリカが軍事介入を行う意思の乏しいなかで東アジアの安定を実現することであり、歴史問題に関する日本の孤立の解消や日韓関係の打開である。戦わないアメリカのもとにおける安定の模索が、集団的自衛権の容認よりもはるかに切迫した課題であると私は考える。

（二〇一四年三月一八日）

第四章
常識が正しいとは限らない

軍事的対立の背後に何があるのか

ウクライナ政変に始まる混乱が収まらない。そこに見られるのは、二つの異なる世界観の衝突である。

ウクライナでヤヌコビッチ政権が倒れた直後、ロシア系武装勢力がクリミアを制圧し、クリミアがロシアに併合された。いまウクライナ東部では親ロシア武装勢力と政府の軍事衝突が起こり、ウクライナ国境にはロシア軍が集結していると伝えられている。四月一七日には米ロにウクライナ・EUを加えた四者会談が予定されているが、情勢の打開は厳しい。

この情勢を冷戦の再開と捉える人も現れた。だが、東西の軍事的対立だけではなく、その対立の背後にある考え方に注目したい。自由世界の論理と国民国家の論理の衝突である。

ウクライナ危機は報道する側によって内容も意味づけも異なるものだ。欧米のテレビ局、BBCやCNNでは、ロシアによるクリミア併合はナチス・ドイツによるチェコのズデーテン地方併合に匹敵する武力行使であると伝えていた。そこには、どれほど形式的には議会制民主主義をとっていても、ロシア政府は欧米諸国と人権や民主主義を共有する存在ではないという認識がある。

ロシアのテレビは、まるで違う物語を伝えていた。ウクライナの政情不安が激化した二〇一三年一一月以来、ロシア国営放送は、ウクライナ各地でテロリストがロシア系国民の安全を脅かしていると繰り返し伝えた。そこでは、首都キエフの反政府運動は、選挙によって選出されたヤヌコビッチ大統領を暴力で追い落とす、ナチスに類する反民主勢力にほかならなかった。

対立する勢力の背後に外国の策謀があると訴える点でも、欧米とロシアの報道には奇妙な類似性があった。ＢＢＣやＣＮＮがプーチン大統領は親ロシア系勢力を操っていると伝えるとき、ロシアのテレビは欧米諸国がウクライナの反政府勢力を後押ししていると報道していた。

冷戦終結以後の西側世界を支えたのは、欧米諸国の支援を背景として、市民の合意に基づいた自由な統治を世界に拡大するという自由世界の論理だった。西側諸国への市場統合は欧米経済に富をもたらし、ＮＡＴＯの東方拡大が欧米諸国の軍事的影響力を拡大したことも否定できないが、そのような富と力の拡大は、自由な統治を支えるという理念によって正当化されてきたのである。

その欧米の論理から見れば、ウクライナにおけるヤヌコビッチ体制の崩壊は、民主政権の打倒ではなく、民主主義を踏みにじる政府を市民が倒すという自由世界拡大の過程であった。

だがロシアから見れば、冷戦終結は欧米諸国によるロシアとスラブ系諸民族の排斥(はいせき)をもたらした。東西冷戦のいわば負け組としてソ連が解体し、解体後の多くの諸国ではロシア系住民が少数派となった。かつての地位を失ったロシア系住民は迫害する側から迫害される側に転じたのである。

ロシアの報道に見られるのは、プーチン大統領の下で資源開発を頼りに経済を立て直し、オリンピックも開催するほどの大国として再興したロシアが、欧米による迫害に抗する地位を手にしたというイメージだ。外国の圧迫や介入にひるむことなく国内国外に住むロシア人の生命と安全を保つべきではないか。欧米諸国の行動が自由世界のイデオロギーに支えられたとすれば、ロシア政府の行動の背後には傷ついた国民感情の回復を求めるナショナリズムがあった。

突き放して言えば、ロシアにとってクリミア併合は愚かな選択だった。クリミアは併合できてもウクライナの制圧を試みればNATO諸国が軍事介入に踏み切る可能性が高い。さらに、資源輸出に頼るロシア経済は世界市場から孤立すれば成り立たない。西側諸国が経済制裁を強化するだけでもロシア経済への打撃は大きいだろう。資源供給によってロシアがヨーロッパを左右するという期待は幻想に過ぎない。

だが、いったんナショナリズムに訴えて国民世論を動員すれば、そのナショナリズムが政治家の選択を縛ってしまう。東ウクライナで自治を求めるロシア系住民の活動をプーチン政権が見捨てることは難しく、見捨てないためには意に反する軍事介入を強いられるからだ。

欧米諸国の立場も苦しい。どれほど支援を強化しても、ウクライナの経済的脆弱性と政治的不安定の解消はできないだろう。

そこから生まれるのは、急進的武装勢力と脆弱な政府の対立が続き、その角逐が米ロ関係を振り回すという構図である。欧米諸国とロシア政府が価値観を離れてプラグマティックな解決を模索しない限り、この倒錯した構図が続くだろう。


（二〇一四年四月一五日）

戦争をどう阻止するか

集団的自衛権を認めるか否か、その論争のなかで、さまざまな状況を想定した議論が行われている。朝鮮半島における南北両軍の戦闘とか、ホルムズ海峡における機雷封鎖とか生々しい設定が並べられるのだが、気になることがある。

この議論をする人たちは、戦争の可能性がどこまであると考えているのだろう。

ひとつには、戦争を起こさないためにこそ集団的自衛権が必要だという議論がある。逆にいえば集団的自衛権を認めれば紛争の抑止を期待できるという意味になるのだろうが、さてどうだろう。

日本が集団的自衛権を認めれば北朝鮮や中国は戦略を変えるだろうか。私には、両国とも日本が米軍と共に戦う可能性を最初から織り込んで戦略を立ててきたように思われる。この場合、公式に集団的自衛権を日本政府が認めても、相手の行動を変えることは期待できない。

もうひとつの議論は、戦争が起こりそうもないことは誰でもわかっている、だが可能性はわずかでも備える必要はあるというものだ。そう考える人たちは、「日本が関わる紛争」をごく狭い地域に限って考え、その外の地域で戦争が起こっても日本とは関係ないと判断しているのかも知れない。それでも、現代世界において戦争が起こる可能性はほんとうに少ないのだろうか。

私の意見は違う。いまの世界では戦争が生まれる可能性が高い、しかも地域が限られ戦闘の規模も限られた紛争がより大規模な軍事紛争に発展する可能性は、いくつかの地域で高まっている。それが私の分析である。

一般に軍事大国は互いに直接の戦闘を始めることについては慎重であることが多い。いったん戦争が起こった場合の代償が大きいためであるが、その結果として抑止戦略も核保有国の間では効果を上げやすい。冷戦時代も直接の米ソ戦争は起こらなかった。現在でもアメリカとロシア、あるいはアメリカと中国が直ちに戦闘を始める可能性は低い。

だが、大国相互ではなく、第三の地域で紛争が発生した場合、そこへの軍事介入については状況が違う。

自分の国を攻撃されるのならともかく、たとえ同盟国であっても、他の国が侵略されたからといって、その国を守るために軍事大国と戦争を始めるリスクは高い。ましてその国が同盟国でなければなおさらだ。

たとえば、ロシア軍がウクライナとの国境を越えて進軍したとき、NATO諸国はウクライナ政府を支援してロシアと戦闘に入るだろうか。あるいは、ベトナム沖合で石油を掘削する中国がベトナム軍と戦闘に入ったとき、米国、ASEAN諸国、あるいは日本やオーストラリアは軍隊を送ってベトナムを支援するだろうか。

いうまでもなく、ウクライナは（まだ）NATOの一員ではないし、ベトナムもアメリカと同盟は結んでいない。もしNATOがウクライナに介入する危険が乏しいのであれば、NATOの介入を恐れずにロシアが東ウクライナに進軍することが可能となる。また、米国やASEAN諸国がベトナムを支援する可能性が乏しければ、中国は他国を恐れずにベトナムと戦闘に入ることが可能となる。

では、ロシアや中国が武力行使を思いとどまればどうか。それでも危険はなくならない。このウクライナ、あるいはベトナムの事例で恐ろしいのは、西側諸国の支援が確保されていない場合でも、ウクライナ政府、あるいはベトナム政府が、ロシアないし中国に攻撃を加える可能性があることだ。

既にウクライナでは新政権発足直後から東部地域への全面攻撃が続いている。ベトナムはまだ慎重な姿勢を崩していないが、一九七九年の戦争においてベトナム軍が越境した中国軍に壊滅的な打撃を与えたことは忘れてはならない。紛争現場に戦闘意欲の高い勢力が存在するとき、紛争のエスカレートを止めることは難しい。

紛争の背景に政府の権力の弱まりがあるときも戦争は避けにくい。コンゴや南スーダンのように政府が領土を統治する力を失った「破綻国家」はその例である。イラクでも、「イラク・シリア・イスラム国（ISIS）」が勢力を広げる背景に現マリキ政権の弱体性があることは確実だろう。この情勢を放置すれば、シリアからイラクにまたがる巨大な紛争地域が生まれてしまう。

ここに掲げたどの紛争も全面戦争には達していない。だが、戦争が遠い将来の可能性ではないことも明らかだ。紛争のエスカレートを食いとめるために可能な手段を考えること、それこそが現実的な戦争へのアプローチだと私は考える。

（二〇一四年六月一七日）

常識が正しいとは限らない

国際政治には、その時々の人々が共有する判断、いわば常識がある。なかには残酷な選択やモラルに反する議論もあるので表だって語られるとは限らないが、常識に反する議論をすれば相手にされないから、常識に従うことになる。ところが、その常識が正しいとは限らない。

アメリカを中心とする諸国がイラク侵攻を準備していた二〇〇三年、マスメディアから官庁・大学にいたるさまざまなところで、フセイン政権は力で倒すほかにない、誰でもわかっていることだと語られていた。特定の新聞社やテレビ局に限ったことではない。紙面や番組では戦争に反対しているように見える会社でも、イラク介入の必要性は疑う余地のない常識として語られていた。

私は、イラク介入は不必要だ、要らない戦争を戦ってはいけないと考えていた。不必要で愚かな戦争の開始を黙って見ていることは私にはできなかった。だが、イラク介入に反対すると、必ずといっていいほど、ほかに方法があるというのかという反論が返ってきた。フセインの独裁を認めるのか、イラクの民主化に反対するのかなどと詰め寄り、学者は楽なものだ、何でも反対するだけではないかと言い放つ人もいた。

いま、マリキ政権の下のイラクの政情は混乱を極め、シリアとの国境から中部地域では「イラク・シリア・イスラム国」(ISIS)を名乗る武装勢力が新政権の樹立を宣言している。

では、イラク侵攻から現在までのイラクで、いったい何が起こっていたのか。トビー・ドッジ氏の近著『イラク戦争は民主主義をもたらしたのか』(みすず書房)は、マリキ首相の下で宗派対立が激化し、武装勢力の台頭する過程を克明に描いている。そこから浮かび上がるのは、フセイン政権という独裁政権を倒した結果が、国家の統治の破壊、そして破綻国家の誕生であったという残酷な現実である。

忘れてならないのは、二〇〇三年にイラクを攻撃しなければ、このような状況は生まれなかったことだ。フセイン政権が極度の独裁政権であり、その抑圧の下でイラク国民が苦しめられてきたことは事実である。だが、その政権が倒された後の統治の破綻と内戦の勃発を前にするとき、イラク介入は必要だった、正しかったと主張する根拠はどこにあるだろうか。フセイン政権は倒すべきだというかつての常識の誤りは、無残なまでに露呈されたというほかはない。

どこが間違っていたのだろう。

東西冷戦の終結を受けて、民主主義と資本主義の勝利は誰の目にも明らかとなっていた。冷戦のもとでは西側の軍事介入がソ連との戦争にエスカレートする可能性があったが、その冷戦が終わった以上、地域紛争に軍事介入を行っても世界戦争となる可能性は小さい。そのような西側諸国の軍事的優位を背景として、国際社会の軍事介入によって平和と民主主義を実現できるという過信が生まれた。

だが、どれほど軍事的優位を持っていても、軍事介入によって安定した統治をつくることはできない。マリキ政権が当初期待されたような親米的民主主義とはまるで異なることを熟知しつつも、アメリカはイラク撤兵を進めるほかはなかった。イラク国民のためではない。米軍の犠牲を最小限にするための撤兵である。

いまアメリカでは、イラク政治の混迷を前に、オバマ政権の失態を非難する声が高まっている。イラク撤兵を急いだから不安定が生まれたのだとか、ISISを倒すべきだとの指摘も数多い。だが、問題の根源にマリキ政権におけるスンニ派の政治的排除とその結果としての宗派対立の高揚がある以上、軍事介入の効果に過大な期待を持つことはできないだろう。

現在のオバマ政権は、イラクに軍事顧問を派遣する一方で軍事介入は手控え、スンニ派やクルド人の政治参加の拡大を認めるようマリキ政権に圧力を加えるとともに、スンニ派急進勢力の内部対立を利用して反政府勢力の分断を画策するなど、間接的な政治工作に終始している。このような消極的とも見える政策に反対があることは十分に理解できるが、大規模な軍事行動に訴えることで状況が悪化する可能性を考えるなら、決して愚かな選択であるとはいえない。

国際関係には力によって支えられているという側面がつきまとうだけに、国際関係における軍事力の役割を無視することは賢明ではない。だが、力の優位は力の過信を招く。二〇〇三年イラク介入を支えたのは、国際政治の現実的な分析ではなく、力の過信であった。その誤りを繰り返してはならない。

（二〇一四年七月一五日）

超大国の悩み

オバマ政権はシリア領内空爆を含むＩＳＩＳ（いわゆる「イスラム国」）への対決を打ち出した。これまで軍事介入に慎重だったこの政権が政策を転換したのである。

中東の外でも軍事的緊張が厳しい。ウクライナでは、東部の親ロシア武装組織が政府と停戦に合意したが、すでに合意を破る戦闘が発生した。東アジアにおける中国と近隣諸国の対立は指摘するまでもない。そして、イラク・シリア、ウクライナ、東アジアの三つの紛争には、いくつかの共通点を認めることができる。

第一に、紛争が世界経済に及ぼす影響が大きい。イラクとシリアの内戦は、原油価格の高騰を刺激した。ウクライナ危機をめぐってロシアに加えられた経済制裁はロシア経済ばかりでなくロシアの資源輸出による収益を運用する世界金融市場を揺るがした。中国だけは地政学リスクの影響が限られているが、それでも中国の景気後退が世界経済に与えた影響は大きい。国際市場の相互依存性が高まったために、地域紛争が世界経済の安定を壊してしまうのである。

第二に、どの紛争についても、欧米諸国が軍事介入に消極的だ。アメリカとともにISISに介入する意志を持つ国は少なく、先だって開催されたNATO首脳会議でも明確な軍事関与は示されていなかった。ウクライナ危機についてはポーランドなどにNATO軍を展開する方針を打ち出したが各国の対立は大きく、経済制裁さえ足並みが揃わない。アジアへの軸足を掲げるオバマ政権は対中牽制を強めたが、日中の領土紛争では軍事的牽制よりも外交努力による沈静化を優先している。そこには中国を警戒しつつ、軍事的圧力を加えることで対立が拡大する危険も恐れるアメリカの姿を見ることができる。

そして何よりも、ISISも、ロシアも、中国も、欧米諸国などからこれまで圧力を加えられたにもかかわらず、その圧力を前に退いた形跡が見られない。紛争当事者がアメリカとの対抗を恐れていないのである。

まずISISは、シリア政府やイラク政府ばかりでなく欧米諸国への対決をインターネットを通して訴えており、その主張に賛同して欧米から加わった人も多いという。攻撃で脅しても効果はないだけに、アメリカはISISの軍事的破壊を目指すほかはない。

ロシアの姿勢も強硬だ。二〇一四年六月以後ウクライナ東部の戦闘は親ロシア勢力が劣勢に傾いていたが、ロシアは地対空ミサイルの供与など親ロシア派のテコ入れを行い、その効果が上がらないのを見るとロシア軍の越境攻撃によってウクライナ軍の分断を図った。今回の停戦合意は、親ロシア勢力を介した介入から直接の軍事介入に転じたロシアを前にウクライナ政府を屈服させる、いわばロシアの「勝ち逃げ」だった。NATO首脳会議で新たな対ロ制裁が決まる直前に停戦合意を結んだところにプーチン政権の巧みな遊泳術を見ることができる。

また中国政府は、近隣諸国の領海と重なる地域への領有権を主張するだけでなく、海と空から人民解放軍が干渉を続けている。特にベトナムとの対立が厳しく、一四年五月から七月まではベトナムの沖合で石油掘削による資源調査を強行した。胡錦濤よりも強い国内の指導力を手にした習近平政権は、アメリカが圧力を加えても譲らない姿勢を強化している。

冷戦終結直後であればアメリカへの対抗など正気の沙汰ではなかった。冷戦が終結した一九九〇年代初め、アメリカを頂点とする西側先進国は軍事でも経済でも圧倒的な優位を誇り、民主主義と市場経済を二つの柱とする自由世界の時代が訪れた。イスラム急進勢力は当時も戦闘的であったが、中国とロシアは自由世界の一員として認められるよう、欧米諸国との協調を保っていた。

だが、アフガニスタンとイラクへの介入を転機として、欧米諸国は軍事介入に消極的となり、ロシアや中国がアメリカに正面から立ち向かう。自由世界の時代は権力が競合する状況に転換した。

相手が強硬なとき、慎重な政策をとれば足下を見られてしまう。相手を動かすためにはこちらも強硬姿勢を強めざるを得ない。シリア空爆に踏み切ったオバマ政権の抱える困難がここにある。

ブッシュが要らない戦争を戦ったとすれば、オバマは避けてきた戦争に引き込まれた。地上軍の派遣を否定するなど介入の拡大にはまだ慎重だが、効果が上がらなければ軍事介入を拡大するほかはない。アメリカを恐れない勢力を前にしたオバマ政権は軍事力への依存をさらに深めてゆくだろう。

（二〇一四年九月一六日）

不寛容に寛容たるべきか

二〇一五年一月七日、フランスの週刊新聞シャルリー・エブドに暴漢が乱入して一二人を射殺してからおよそ二週間、その余波が止(や)まない。そこには二つの流れを見ることができるだろう。

第一の流れは、言論の自由を守れという国際的連帯である。暴徒の襲撃直後から欧米諸国では「私はシャルリー」という言葉がインターネットで拡散し、プラカードとなって数多くの集会で掲げられた。事件後週末の集会ではフランスのオランド大統領はもちろん、ドイツのメルケル首相など各国首脳が集まり、無法な暴力を前にして言論の自由を守る必要を訴えた。

第二の流れはイスラム圏を中心とした反発である。シャルリー・エブドの最新号がムハンマドの風刺画を表紙にしたことを直接の引き金として、抗議行動がパキスタンやアルジェリアに広がり、ニジェールでは教会が焼き打ちにされた。その抗議の主体は特定のイスラム過激派というよりイスラム諸国の一般民衆であり、イスラム教を誹謗(ひぼう)する表現に対する激しい反発を認めることができる。

このような二つの流れの背後には、今回の事件よりも前から広がっていたさらに二つの流れがある。その第一は、イスラム過激派によるテロの拡大である。イラクからシリアにかけて勢力を広げたＩＳＩＳ（いわゆる「イスラム国」）はイスラム圏ばかりでなく欧米諸国からも参加者を集め、ナイジェリア北部を中心とした地域ではボコ・ハラムによる殺戮（さつりく）も繰り返し伝えられている。シャルリー・エブドの襲撃は、いま世界各地で再燃しているイスラム過激派の数多くの活動の一つとしてみるべきものだろう。

もう一つの流れは、欧米社会における移民排斥、特にイスラム教徒の移民への制限を求める動きである。

既にフランスでは右派政党国民戦線がフランスへの移民、ことに北アフリカからのイスラム系移民の制限を主張してきたが、二代目党首マリーヌ・ルペンを迎えて勢力を拡大し、二〇一四年の欧州議会選挙ではフランスの得票の二五％近くを獲得した。移民制限はオランダやデンマークにも及び、移民制限の声が弱かったドイツでさえ、西洋のイスラム化に反対する愛国的ヨーロッパ人（ＰＥＧＩＤＡ）と称する団体がドレスデンなどで大規模な政治集会を繰り返している。アメリカでは、テレビ局フォックス・ニュースのコメンテーターが、イギリスのバーミンガムはもはや丸ごとイスラムの町になった、イスラム教徒でなければ入ることができないところだなどという発言を行うに至っている。

イスラム地域ではイスラムを掲げる急進武装勢力が勢力を伸ばし、ヨーロッパではこれまでの多文化主義を排して移民を制限する運動が高揚する。荒れた状況というほかはないが、これをどう考えればよいだろうか。

まず、イスラム過激派の暴力は許されない。ISISやアルカイダのような団体はイスラム教徒を含む一般市民の大量虐殺を辞さない集団である。このような団体や、それに同調する人々の活動を規制するために暴力を用いることを私は支持する。だが、シャルリー・エブドの掲載する風刺画を支持することもできない。他の宗教を嘲るような言葉や絵画に価値を認めることはできないからだ。私は暴力によるシャルリー・エブドの排除に反対だが、それは暴力をもって言論を排することが間違いだからであって、すべての言論が正当であるという意味ではない。

ここでは二つの恐怖が向かい合っている。

ヨーロッパではイスラム過激派ばかりでなくイスラム教徒一般によってヨーロッパ社会の安全が脅かされているという恐怖が生まれた。イスラム諸国では欧米諸国がイスラム教徒から尊厳を奪い、排除を進めているという恐怖が広がっている。恐怖が昂進すれば、それぞれの社会で相手に対する不寛容と排除が広がり、政治的急進派が台頭する。イスラム教に反する行いに対して大量殺戮で応じ、あるいは数の限られた過激派とイスラム教徒一般を区別せずまるごと排斥する行動が、そこから生まれる。

かつて、ラブレーの翻訳で知られるフランス文学者の渡辺一夫は、寛容は自らを守るために不寛容に対して不寛容になるべきかと問いかけた。幾重にも層の重なる渡辺の論考を単純化することは適切ではないが、いま世界に広がるのは他者に対する不寛容が他者の存在そのものの排除を招くこと、いわば他者の排除と政治の暴力化の危険である。

不寛容を前にしても可能な限り寛容を保たなければ他者との共存を実現することはできない。テロは排除しなければならないからこそ、排除する側は文化と価値の多元性を受け入れ、維持する必要があると私は考える。

（二〇一五年一月二〇日）

私たちの生きている時代

当たり前のように暴力が使われる時代になった。

中東では、過激派組織「イスラム国」によって人質が惨殺される一方、イラク・シリアばかりでなくリビアでも「イスラム国」に呼応する勢力によって暴力が展開されている。アフリカでは、ナイジェリア北部に勢力を築いたボコ・ハラムが、国境を接するカメルーン、ニジェール、さらにチャドでも襲撃事件を引き起こした。中東・アフリカばかりではない。フランスやデンマークのテロ事件の背後にはイスラム過激派があると考えられている。

ウクライナでは、二〇一四年の政情不安とロシアによるクリミア併合に始まる紛争が再燃し、ウクライナ東部における激しい戦闘が続いた。ドイツとフランスの仲介によって新たな停戦合意が結ばれたが、いつまでロシア系武装勢力とウクライナ軍の戦闘を抑えることができるのか、悲観的な予想のほうが多い。

武力行使が広がれば、対抗する側も武力行使を拡大してしまう。すでに二〇一四年夏からイラクとシリアで空爆を行ってきたアメリカは、地上軍投入の準備を開始した。ウクライナ停戦合意の直前には、ウクライナ軍に武器を供与する方針も検討されていた。アメリカばかりでなく、テロ事件や人質惨殺を受けて、フランスやヨルダンも武力介入を強化している。米同時多発テロ事件から一三年を経て、戦争の時代が再開したように見える現状だ。

こんな時、どんな方法が適切なのだろうか。

一般に国際政治では、攻撃があれば大規模な反撃を行うことを相手に伝え、それによって攻撃を未然に防止するという抑止戦略が基本とされている。抑止は軍事力に頼る意味において平和主義と対極に立つが、軍事力による領土や富の拡大を排除する点において力の行使を抑制する性格も持っている。

だが、抑止によって平和を保つことのできない状況も存在する。その第一は、報復攻撃による犠牲を恐れずに行動する主体である。自爆を試みるテロリストに向かって報復を予告しても意味がないように、どれほど犠牲を払っても目的を達成しようとする交戦主体を前にすれば報復攻撃を予告しても効果は期待できない。そして、抑止によって行動を抑えることの出来ない相手を前にするとき、実際に戦闘を行うほかに選択はない。これが、「イスラム国」の提起する残酷なジレンマである。

では、武力によって「イスラム国」を倒せばよいのか。私は「イスラム国」に対する武力行使は必要であると考えるが、同時にその効果を過大評価できないとも考える。問題は「イスラム国」の暴力だけではなく、シリア北部からイラク中部にかけて実効的支配を行う政府が存在しないことにあるからだ。さらに、そのような破綻国家状況を打開するために外から統治をつくろうと模索しても成果を期待できない。アフガニスタンとイラクへの軍事介入では、戦闘は短期間に終わったものの、その後の占領統治において膨大な犠牲が生まれた。いまアメリカやイギリスがシリアやイラクにおいて長期間の占領を行う可能性はゼロに近い。

抑止戦略の実効性が少ないもうひとつの状況は、小規模の軍事紛争に対して各国が関与する意思の乏しい場合である。大規模な攻撃に対して反撃する準備はあっても小規模の攻撃については対抗する意思が乏しければ、小規模な攻撃を加えた側は勝ち逃げに成功する。大規模な攻撃を抑止するだけでは小規模の攻撃を抑えることはできないのである。

　ウクライナ紛争はその典型だろう。今回の停戦合意が結ばれた背景には、欧米諸国がウクライナ政府への軍事支援を躊躇しているという現実があった。仮に武器を供与してもウクライナ軍の劣勢を補うことができないのであれば、支援しても効果は期待できない。そしてウクライナ軍だけではロシアを抑えることができない場合、ＮＡＴＯ諸国はウクライナを見捨てるか、それともウクライナを飛び越えてＮＡＴＯ諸国が直接軍事介入するかという選択に直面する。そのような戦争のエスカレートをＮＡＴＯ諸国が恐れたからこそ、ロシア側に有利な停戦合意が生まれた。大規模な戦争に拡大することを恐れて、小規模な勢力拡大を放置したのである。

　イラク・シリア、ウクライナ、どちらの紛争を見ても、軍事的威嚇だけでは不十分であり、実際に軍事介入を行うほかに効果を期待できる選択はない。しかも、軍事介入に訴えたところで紛争が終結に向かう展望は乏しい。戦争が必要でありながら、戦争が終わらない世界。解決策や処方箋（しょほうせん）を示すことなく突き放していえば、それが私たちの生きている時代である。

（二〇一五年二月一七日）

イランとの間にある四つの壁

イランをめぐる国際関係が変わろうとしている。だが、その道筋は厳しい。

アメリカの中東政策はイスラエルを友好国、イランを脅威として捉えてきた。かつては米国大使館員を人質に取り、いまでもレバノン南部のヒズボラに支援を与えてイスラエルの安全を脅かすイランは、ナセル政権時代のエジプトに代わって中東の安全を揺るがす最大の脅威となっていた。

核武装の懸念がイランへの脅威感を加速した。その懸念を早くから表明したのは地域唯一の核保有国であるイスラエルだが、国連安全保障理事会も二〇〇六年以後数回にわたるイラン制裁決議を行い、一一年にアフマディネジャド大統領が国連総会で演説を行った際には米英独仏などの代表が退場している。イラン核武装への懸念はアメリカやイスラエルばかりでなく世界各国に共有されていた。

だがイランが本当に中東地域における最大の脅威なのか、疑問の余地があった。核開発を進めていることは確かでも、その進みぐあいについては議論が分かれ、数年のうちに核武装するという予測は繰り返し破られてきた。軍事的脅威としては、イラクやシリアに広がるスンニ系過激派組織、ことに「イスラム国」のほうがはるかに深刻であり、シリアのアサド政権を牽制しつつ「イスラム国」の弱体化を実現するためにはイラン政府の協力が欠かせない。イラン敵視を中核とする中東政策には限界があった。

一三年にロハニが大統領に就任し、挑発的な言動を繰り返した前任者アフマディネジャドと異なって欧米諸国との関係改善を求めるかのような発言を行ってから、イランとの関係改善への期待が高まった。国連常任理事国五カ国にドイツを加えた諸国はイラン政府と交渉を続け、一三年一一月には核開発抑制と引き換えに経済制裁を解除する仮合意にこぎ着けた。まだ合意には距離があると見られるが、現在でも交渉が続いている。

核開発抑制が実現すればイランと欧米諸国との関係は大きく変わるだろう。トルコやサウジアラビアなどが「イスラム国」への介入に消極的ななかで、欧米以上にスンニ系過激派を恐れるイランを味方につければ「イスラム国」への軍事的圧力を強めることができる。また、経済制裁解除とともにイランが市場を開放すれば、ミャンマーやキューバよりも大きな市場が海外投資に開かれる。イランと西側諸国の関係改善は軍事的にも経済的にも波及効果を期待できるのである。

だが、イランとの関係改善には四つの壁がある。第一はイラン国内の保守派であり、核開発を手放そうとしないこの勢力のために二〇一四年を通じてイランとの核交渉が空転を続けた。第二はサウジアラビアなどの湾岸諸国である。欧米諸国がイランと関係を改善しても湾岸諸国の抱くイランへの警戒を解くことはできないだろう。

第三はイランを国防上第一の脅威とするイスラエルである。米議会の招聘によってアメリカを訪れたネタニヤフ首相が両院の議員を前にイランの脅威を訴え、イランとの関係改善に向けたオバマ政権の交渉を強く牽制したのはその例である。

第四は米議会である。イスラエルとの距離が開いたオバマ政権と逆に米議会はイスラエルと一体の政策を求めてきた。ネタニヤフ訪米後も、四七名の共和党上院議員が、いまの政権とイランが合意してもその合意は次の政権によって覆されるだろうという驚くべき内容のイランへの公開書簡を発表した。

私は、イランとの関係改善は米国の中東政策の望ましい転換であると考える。経済制裁解除と引き換えに核開発の抑制を実現することは、北朝鮮を相手には難しくてもイランとの間では実現する可能性がある。中東の主要な脅威はスンニ系過激派であり、イランの孤立を打破することは中東の安定にもつながるだろう。

また米国がイスラエルに対してパレスチナ国家の明確な承認とヨルダン川西岸への入植の中止を求めるなら、中東諸国から信頼を得る機会となるだろう。イラン核政策の反転と関係正常化は、ミャンマー、キューバに続くオバマ外交の数少ない成果となることが期待できる。
日本は欧米諸国と協調しつつ中東諸国とも友好を保持してきたが、今回のイラン政策ではまだ出番がない。中東政策が歴史的な転換を迎えるなかで、英仏中ロと緊密に協力するドイツと異なり、日本は役割を果たす機会を見つけていないのである。これはいかにも残念なことだ。安倍政権がテロの脅威を真剣に考えるのであれば、イランの路線転換を進めるうえで日本に何ができるのか、考える必要があるだろう。

（二〇一五年三月二四日）

第五章
世界の不安定は加速する

自己肯定願望

いつからのことだろうか。書店の店頭、新聞記事、あるいはテレビ番組で、日本の良さを伝えるものが目立つようになった。日本で開発された優れた商品のなかに日本人のＤＮＡを読み込むような議論に触れた人は多いだろう。

その前には、日本への批判を自虐として拒む態度があった。日中戦争と第二次世界大戦における日本軍の行動に批判を加えると左翼だとか自虐史観だなどと形容されるようになってから久しい。歴史観の問題だけにとどまらず、政府の政策への批判が自虐として退けられるようになった。日本人の誇りを求める文章や映像は、自虐の対極としての自尊願望の反映とみることができるだろう。

たまたま国籍が同じだという理由だけで会ったこともない人たちと自分が一体であると考え、自虐や自尊を論じる根拠は疑わしい。だが、自分の帰属する集団を肯定したいという願望は、ほとんど人情のようなものだ。私自身も、生真面目で責任感のある人たちが日本に多いと感じてきたし、その一員であることに誇りを持って生きてきた。個人としての自分ばかりでなく自分を含む集団に美点を求めることが誤りだとは思えない。

とはいえ、その社会の抱える問題に関する批判を自虐として退けてしまえば、ただ現実を肯定するだけに終わり、悪くすれば無為無策を招いてしまうだろう。そして敢えて言えば、日本社会が大きな変革に成功したのは日本国民の美化ではなく、その抱える問題に目を向けた時であった。

東アジアで植民地獲得を模索する欧米列強に独立を脅かされるなかで進められた徳川政権の解体と明治維新は、日本の統治を根本的に変えなければ文字通りの国難に立ち向かうことができないという自覚に支えられた体制改革であった。敗戦と占領という厳しい条件の下で進められた戦後改革も、破滅的な戦争に日本を導いた軍国主義とは異なる政治体制と経済制度を新たに実現しようという意志があったからこそ行われた。占領下とはいえ、占領軍による強制などに決して還元することのできない日本国民の主体的な選択がそこにあった。

維新や敗戦ばかりではない。戦後七〇年の間にも、体制を刷新する時代はあった。高度経済成長が二回の石油危機によって覆った一九七〇年代はそのひとつだろう。企業は雇用の安定と引き換えに賃金の抑制を労働組合に求め、石油危機の影響が産業部門によって大きく異なるなかで政府は経済の構造改革を遂行し、対立を繰り返してきた与野党も経済危機を打開するなかで提案された改革には協力を惜しまなかった。その結果、先進工業国のなかで日本はいち早く不況から脱却し、欧米諸国を凌駕する経済成長を達成することになる。

石油危機への対処を支えたのは、日本の抱える課題や弱点を自覚し、それに正面から取り組む姿勢であった。敗戦後の再建を担った世代は、日本が欧米を凌駕する高度経済成長は当然であるなどと考えるような楽観的観測を持ってはいなかった。石油危機の時代を振り返って驚くのは、日本の政治家、官僚、企業経営者、さらに労組の指導者が日本の政治経済が抱える弱点を的確に自覚していたことである。

課題を認識していたから対処も早い。石油危機後の再建は自尊や自己肯定ではなく、日本の制度の弱点に目を向けるリアリズムがあったからこそ可能になったと言ってよい。

日本経済の優位が続き、ジャパン・アズ・ナンバーワンなどという自己肯定が広がった八〇年代になると、七〇年代まで共有されていた日本の現状に対する厳しい認識、リアリズムが失われてしまう。欧米に学ぶ時代は終わった、これからは日本がモデルだなどという元気な発言があふれるなか、対処すべき課題から目が逸れていった。楽観の代償は無策と長期不況だった。各国でバブル経済が破綻し、製造業や金融で大きな改革が進むなか、短期間に景気が回復するという楽観が強い日本では改革が遅れ、二〇年に及ぶ不況を招くことになった。

ようやく日本経済が成長を取り戻し、政治的にも安定政権が生まれたことを私は歓迎する。だが、日本社会や政府への批判を自虐として拒むような態度には賛成できない。そのような自尊の追求は日本の抱える課題の認識を阻み、自己肯定のなかで無為無策に陥る危険があるからだ。
自己肯定への願望は政府ばかりでなく、社会のなかにも広がっている。だが、自尊は思い上がりにつながり、思い上がりと慢心は停滞をもたらす危険がある。いま日本に求められるのは、問題の発見を自虐として退けるのではなく、改革の前提として批判を受け入れる態度だろう。

（二〇一五年四月二一日）

日本政府が慎重だった理由

日米両国は新たな防衛協力のための指針（ガイドライン）に合意し、このガイドラインと結びついた安保関連法案の国会審議が始まった。これらの法案に対し、海外で活動する自衛隊が攻撃される危険が高まる、米国の始めた戦争に日本が巻き込まれるのではないかなどの懸念が表明されている。

さて、どう考えればよいのだろう。

日米安保条約が成立したあと、日本国憲法と安保条約が共存する状態が続いてきた。その初期には安保条約が合憲なのか争われたが、現在では日米安保を受け入れる国民が多数である。

また、日米同盟はすでに東アジア国際関係における現状の一部となっている。日米安保が日本軍国主義を抑えるビンのフタだという周恩来の解釈を現在の中国政府が受け入れているかについては疑問の余地があるとしても、中国、それでいえばロシアも、日米同盟は変えることの極めて困難な所与の現実として受け入れていることは否定できないだろう。

しかし、自衛隊が米国と合同の軍事行動に加わる範囲については、日本国憲法を理由として、これまでの日本政府は慎重な姿勢を保ってきた。

その背景には日本の政治状況があった。一方では社会党や共産党が、安保条約と米軍基地そのものを否定する立場を表明した。他方、吉田茂首相以後のいわゆる「保守本流」は日本の経済成長を第一の政策目標とし、日本防衛のために米軍に頼ることには積極的でも日米共同の軍事行動には否定的であった。米国と同盟を結びつつ、日米協力の範囲は憲法によって規制するという政策は、護憲を掲げて同盟に反対する左派と同盟に頼りつつ経済成長を優先する保守本流によって支えられた。

現在の新ガイドラインと安保法制は、米軍との協力範囲に対する従来の制約を取り除くものとして捉えることができる。そのような制約は憲法を根拠として加えられてきたから、これでは実質的な憲法改正ではないかという批判も生まれた。

だがここで考えたいのは、この政策転換によって、日本の安全、さらに国際関係の安定が高まるのかどうかという点である。

私は、日米同盟も同盟である以上、米国が日本防衛にコミットしているのに日本は米軍との協力を拒むという選択には無理があると考える。その選択を続けるなら、米国が日本の防衛に現実に関与する可能性も減ることになるからだ。片務的な同盟から双務的な同盟への転換が叫ばれた背景には、米国が日本防衛から離れてしまうという懸念があった。米国に見捨てられる懸念は米ソ冷戦が終結したあとさらに高まり、それが前回のガイドライン見直し（一九九七年）の背景となった。

米国から見れば、同盟国の信用をつなぎ留めることができなければ、同盟の結束が弱まり、米国の影響力は後退する。今回の新ガイドラインは、同盟国との結束強化によって中国などの潜在的な脅威を前に米国が同盟国防衛から後退する懸念を弱めるねらいを持っている。新ガイドラインはオバマ政権におけるアジア基軸外交の一環をなしていると考えてよい。

新ガイドラインは、中国が軍事力を拡大し海軍の外洋展開を強めるなかで合理的な選択として評価できる。だが、日米の軍事協力を進めれば必ず軍事紛争が防止される保証はない。そもそもこのようなガイドラインや新法制はなくても、中国は有事における日米協力を想定してきた可能性が高い。ガイドラインの改訂が対中抑止力を高めるとは限らないのである。また、米国のアジア基軸外交は中国を牽制しつつ米中の軍事衝突は極力回避するものであり、軍事的威嚇だけに頼るものではない。私はオバマ政権における軍事力行使への慎重な姿勢は賢明であると考えるが、同時にその姿勢が米軍の対中抑止力を弱めることも無視できない。米国が中国との戦争を避けようとする限り、ガイドラインがあったからといって尖閣諸島沖合などにおける中国の限定的な軍事力行使を阻止できる保証はない。

国際関係において軍事力は平和を保つ手段と、その平和を破壊する手段という二重の性格を持つ。威嚇によって相手の攻撃を阻止する可能性がある以上、抑止戦略にも効用があることは否定できない。実際、戦後日本は憲法とともに安保条約も受け入れることで力による平和に頼ってきた。

だが軍事力の効果を過信すれば、慎重な外交によって国際紛争を打開する機会を逃し、避けるべき戦争に突入する危険が生まれる。問題は軍事力を認めるかどうかではなく、軍事力の過信を避けることができるかという点にある。そして、軍事力への過信は、米国政府よりも日本政府において見られるのではないか。それを私は恐れる。

（二〇一五年五月二六日）

同盟と外交

新安保法制は日本が攻撃される危険を強め、日本を戦争に導くものだという批判が行われている。政府はこの法制によって日本、さらに世界に平和を広げることができると主張している。それでは集団的自衛権は、戦争の危険を高めるのか。それとも戦争を防ぐ手立てとなるのだろうか。

集団的自衛権とは、同盟を組む国家に攻撃が加えられたらともに反撃を行うという、同盟と不可分の概念である。同盟の目的は国防であり、戦争の否定ではない。しかし、同盟が戦争を誘発するということもできない。

北大西洋条約機構（NATO）は米国と西欧諸国がソ連に対抗する目的からつくられた同盟であるが、米ソ冷戦終結後も維持され、ヨーロッパ地域の安定の基礎となっている。NATOのために国際情勢が不安定になったとはいえない。

日本は米国と同盟を結んでおり、その日米同盟は既に東アジア国際関係の現実を構成している。日米両国の緊密な軍事協力が可能となるよう法制度を整備することが好戦的な政策であるとは必ずしもいえない。

しかし、同盟諸国が協力すれば国際紛争を打開できるわけでもない。クリミア併合後のロシアがウクライナ東部に事実上の勢力圏を築くなかで、NATO諸国の対応は動揺を繰り返した。ロシアの勢力拡大を認めることはできないが、ウクライナに派兵することでロシアとの戦闘に陥ることも避けたいからである。現在NATO諸国はリトアニアをはじめとするバルト三国の防衛を強化しているが、NATOに加盟していないウクライナ防衛については明確な関与を示していない。

軍事的に見ればNATO諸国の兵力はロシアを凌駕している。だが、軍事力の規模と同盟諸国の協力だけではロシアの行動を抑制することはできない。軍事介入する意思が乏しいとき、抑止戦略に効果はない。

東アジアでは、中国人民解放軍の外洋展開が日米をはじめとする西側諸国の警戒を呼び起こした。今回の新安保法制も対中抑止力の強化を期待していると考えてよい。核兵器を持つ中国に対し、日本も韓国も単独では軍事的に対抗することができない。日本や韓国が米国との同盟に頼ってきたのは米国抜きでは相手を抑止できないからである。そして西側諸国の軍事力は、中国のそれをいまなお凌駕している。

だが、日米の軍事的連携によって中国軍が南シナ海などから撤退することを期待できるだろうか。南シナ海などで発生した紛争が小規模であれば、米軍が投入される可能性は低い。

軍事介入する意思がなければ相手の退却を期待できず、軍事介入に訴えるなら中国との全面戦争を覚悟しなければならないからだ。このジレンマは、集団的自衛権を認めたところで消えることはない。そもそも中国は日本が米軍とともに行動することを織り込んで軍事戦略を立ててきただけに、新安保法制によって行動を変える可能性は乏しい。

ヨーロッパでも東アジアでも、同盟は国際政治の現実の一部を構成しており、それが地域の緊張ばかりでなく、安定ももたらしてきた可能性は否定できない。だが、ウクライナや南シナ海などの事例を見れば、同盟強化と軍事的威嚇によって国際紛争の打開を図ることがどれほど困難なのかもわかるだろう。軍事力の役割を否定することは愚かだが、その役割の過大視はさらに愚かだといわなければならない。

では、戦争を避けるためには何が必要なのか。日本に足りないのは同盟強化ではなく、外交である。

ウクライナをめぐるロシアとの緊張が高まるなかで、外交の中心を担ったのがドイツのメルケル首相である。旧東ドイツ出身でロシア語も話すメルケル氏が間に立つことによって、ウクライナ政府とロシア系武装勢力との対峙がNATOとロシアの全面対決に発展する危険をなんとか避けることができた。東ウクライナの緊張もプーチン政権の強硬姿勢も引き続いているだけにまだ平和とはほど遠い情勢であるが、紛争激化を避ける上でメルケル氏が果たしてきた役割は大きい。

私は、安倍首相が軍事力だけを重視してきたとは考えない。しかし、軍事ではなく外交に力点を置いた安倍政権の政策はこれまで実績が乏しい。拉致被害者の帰国のために行われた北朝鮮との交渉は挫折し、成果が上がる見通しはない。北方四島の返還を目的としたロシアとの交渉にも展望はない。

軍事力が国際関係の現実であることは無視できない。だが、軍事にばかり頼る対外政策は安定を阻害し、緊張を助長する危険がある。同盟強化を第一とする政策は政策の優先順位を誤るものではないか。それが、国際政治の視点から見た、私の新安保法制への懸念である。

（二〇一五年六月一六日）

無政府状態にどう向き合うか

国会で新安全保障法制が採択されようとしている。安保法制に反対する国民は、国会前を始め、全国各地で集会を続けている。そこで問われているのは、日本の立憲政治の行方である。

ここでは異なる角度から考えてみたい。新安保法制を実現する根拠として繰り返されてきた主張が、安全保障をめぐる国際環境の変化である。それでは、どのような変化が起こっているのだろうか。

第一に注目すべきは中国の台頭だろう。米ソ冷戦の時代、旧ソ連のように軍事的に台頭した国も、また日本や旧西ドイツのように経済的に台頭した国もあった。だが、旧ソ連は軍事大国を支える経済の基盤が弱く、日本や西ドイツはどれほど経済的に台頭しても軍事的に米国に依存し、挑戦する立場にはなかった。軍事と経済の両面において台頭し、アメリカの影響力に正面から対峙する位置に立った点において、中国は例外的な存在であると言ってよい。仮想敵国と名指しで明言してはいないが、新安保法制が台頭する中国の牽制、特に海上自衛隊が米軍と共同で行動する法的な根拠の整備を目的としていることは明らかだろう。

とはいえ、もし中国台頭が新安保法制の誘因であるとすれば、わからない点も残る。このコラムでも指摘してきたように、米軍と自衛隊が共同で行動する可能性を中国は以前から想定してきたと考えられるからだ。新たな法制度によって日米共同行動の法的基礎が得られたとしても、中国の行動を変えることは期待できない。

さらにいえば、現在もっとも必要なのは対中抑止力の強化よりも中国との小規模な軍事紛争が大規模な戦闘に発展するのを阻止することだ。日米が連携して対外的抑止力を強めたところで、尖閣諸島沖合で武力衝突が起こる懸念はなくならない。そして日中両国が仮に武力衝突した場合、米国は同盟国として日本を支援しなければ日本ばかりでなく他の同盟国に対する信頼も失い、結果として対外的な影響力の後退は避けられないが、日本を支援すれば対中戦争に踏み切ることになり、アフガニスタンやイラクへの介入の比ではない代償を強いられる。国防総省はともかく米国政府が必ずしも新安保法制に積極的とは見えない理由は、日本の行動によってアメリカが戦争に巻き込まれてしまう懸念であった。

さらに別の問題がある。安全保障環境の変化としてよく取り上げられる東アジア国際関係と異なり、中東・北アフリカ情勢との関わりが論じられることは少ない。こちらの問題はどうだろうか。たとえば、シリアからイラクに広がるＩＳＩＳ（いわゆる「イスラム国」）を前にして、新安保法制にはどんな役割が期待できるだろうか。

斬首という残酷な行動に見られるように、ＩＳＩＳの行動は中東・北アフリカの人々ばかりでなく日本や米国国民の安全も脅かすものだ。介入を手控え、紛争を放置すれば、ただでさえ膨大な数に上る難民はさらに急増することになるだろう。だが、武力行使に訴えたなら紛争が解決できるわけでもない。問題はＩＳＩＳの残虐な暴力ばかりでなく、イラク中部からシリアに広がる無政府状態が背景にあるからだ。さらに、アフガニスタンとイラクへの介入が占領統治において挫折したことに見られるように、無政府状態に代わる選択として欧米諸国が占領しても展望が開けるわけではない。

これは国家と国家との間の伝統的な戦争とはまるで異なる領域である。介入が難しいからこそ、米国も他の諸国も当初はシリアへの介入を手控えた。危機が拡大し、米国主導の軍事介入が始まって一年になるが、大規模な空爆を繰り返しながらシリア情勢の混乱も難民流出も止まらない。武力行使が必要であり、しかも武力行使の実効性が限られているという状況がここにある。

中国台頭を巡る国際環境は、必ずしも新しいものではない。同盟と抑止は現実の一部ではあるが、領土紛争のエスカレートをどう阻止するかを考えればわかるように、抑止力を高めれば状況が好転するともいえない。国際環境のなかでむしろ新しいのは、シリア・イラク、さらにリビアからイエメンに広がる、既に領土を支配する力を失った破綻国家の一群と、そこで既に発生した戦闘である。

新安保法制をめぐる議論は、中国台頭を念頭に置いて展開されることはあっても、破綻国家における平和構築を取り上げることは少なかった。安全保障環境の変化といいながら、武力行使の可能性がもっとも高い課題に関する検討は置き去りにされているのである。これで法案に関する審議が尽くされたと本当にいうことができるのか、疑問を持たざるを得ない。

（二〇一五年九月一五日）

シリア戦争

シリア内戦が国際紛争に拡大した。二〇一四年九月から米国はイラクとシリアへの空爆を繰り返してきたが、それから一年経ってロシアがシリア空爆に踏み切った。この情勢をどのように捉えればよいだろうか。

米国の介入はイラクからシリアにかけて勢力を拡大する過激派組織「イスラム国」（ISIS）が対象であり、シリア南部に勢力を保つアサド政権との協力は行っていない。アサド政権が権力を保持するために一般国民を殺戮した当事者である以上は当然であるが、他方ロシアの介入はアサド政権の支援を目的とし、武力行使の対象もアサド政権と戦う勢力の全てであってISISだけではない。その結果、米国の支援する反アサド勢力がアサド政権とロシアの攻撃を受けるという事態も発生した。

この情勢を新たな冷戦とする分析も行われている。既にロシアによるクリミア併合とウクライナ東部への介入のために米国・EUとロシアとの関係は著しく緊張しているが、その対立がシリアに波及した。ロシアがシリアに軍港を保持し、これまでアサド政権と密接な関係を保ってきたことが介入の背景にあるだけに、シリア情勢の背景として米ロの対立は無視できない。だが、米ロの思惑がシリア情勢を左右していると言うことはできない。米ロだけでは左右できない地域的な要因がシリア情勢を動かしているからだ。

米国がイラクとシリアに介入するうえで緊密な協力を保ってきたのがクルド勢力である。すでにイラク北部に自治政府を保持するクルド勢力はイラク領内におけるＩＳＩＳ掃討作戦において相当の成果を上げ、シリア北東部においてもＩＳＩＳの勢力拡大を阻んでいる。地上軍を派遣しない米国はクルド勢力の活動に頼らざるを得ない構図である。

だが、米国の頼るもう一つの存在であるトルコはクルド勢力との対決姿勢を強めている。トルコにおけるクルド急進派との対立には長い歴史があるが、二〇一五年六月に行われた選挙ではクルド系政党の人民民主主義党（ＨＤＰ）が初めて得票率が一〇％を超えたため議席を確保した。多数派確保に失敗したエルドアン政権はクルド急進派の非合法武装組織「クルディスタン労働者党」（ＰＫＫ）との和平プロセスを放棄して紛争が再発してしまった。頼みとするクルド勢力とトルコが互いに戦っているのだから米国の思惑通りにＩＳＩＳと戦うことは期待できない。

米国と異なり、アサド政権の地上軍と呼応して空爆を行うことのできるロシアは軍事的に有利に見える。だが、そのアサド政権を支援するイランはロシアとの連携が弱く、さらにロシアが支援したところでアサド政権の安定を実現することは期待できない。難民の多くがアサド政権の暴力を恐れて国外に逃れた以上アサド政権への支援には人道上の問題があるが、その点を横に置いたとしても、アサド政権の下でシリアが統一を回復する可能性はごく乏しい。

東西冷戦の時代、アメリカとソ連は、各地の政治勢力を手ゴマのように操作して自国に有利な地政学的情勢を求めて介入を繰り返した。南ベトナムのゴ・ジン・ジェム政権やアフガニスタンのカルマル政権を見ればわかるように、既に冷戦期においても現地の勢力が米ソの戦略を左右する、いわば逆操作というべき状況は存在した。今回のシリア情勢では、逆操作は例外ではなく、むしろ問題の本質になっている。アサド政権のように延命を図る独裁体制や、イランやISISのようにスンニ・シーアの宗派対立から紛争に従事する諸勢力によって、米ロ両国の介入が左右されてしまうからだ。

その結果として生まれるのが紛争の長期化である。シリア北部ではトルコとクルドの紛争によってクルドに頼るISISへの対抗が遅れ、ロシアの支援によってアサド政権が南部地域の支配は保ったとしてもそこからの勢力拡大はできない。この手詰まりのなかでシリアから難民流出が続き、トルコとヨルダンに巨大な負担を与え、EU諸国は難民受け入れに苦慮することになる。

ではどうすべきか。まず必要なのはヨルダンとトルコの難民キャンプへの支援だが、それに加え、シリアに安定した権力がつくられなければならない。実効支配を行う政府の不在、破綻国家状況がシリア危機の根底にあるからだ。

米オバマ政権はアサド大統領の退陣を求めつつ、アサド退陣後のシリア政府についてては協力する可能性を示した。これはイラク戦争の後、バース党と軍を一気に排除した判断よりも現実的な選択であるが、各国が賛成する情勢ではない。この選択をシリア周辺諸国とロシアが受け入れるまで、意味のない戦争が続いてしまう。それが現在におけるシリア内戦の展望である。

（二〇一五年一〇月二〇日）

難民キャンプに見るヒント

二〇〇一年の同時多発テロ事件から一五年目、また大規模なテロが起こってしまった。事件の発生したフランスはシリア北部において従来を超える規模の空爆を行い、アメリカとロシアも軍事介入を拡大した。無差別テロと空爆の応酬である。

同時多発テロ事件を引き起こしたアルカイダと比べても、ＩＳＩＳは極度に暴力性が高い。

イラクからシリアに勢力を広げつつ人質の斬首を繰り返し、ロシア旅客機を爆破し、今回はパリで複数の襲撃を実行したうえに、アルカイダと違って旅客機爆破についてもパリのテロについても犯行声明を行った。欧米諸国ばかりでなくシリア・イラクの人々の安全も奪う存在である。

同時多発テロ事件当時のブッシュ大統領などと違い、オバマ大統領、そしてフランスのオランド大統領も当初軍事介入には慎重だった。世界各国も一般にイラク・シリアへの軍事介入には消極的だったといっていい。テロ攻撃は欧米諸国による武力行使への報復であるというISISの主張は正当ではない。武力行使の始まる以前からISISによる殺戮が展開していたことを忘れてはならない。

だが、テロ事件後の欧米諸国の情勢も憂慮される。

既にシリア難民の受け入れ拒否が広がっていたが、テロ事件後にはそれがさらに加速している。九・一一事件の後は、敵はテロリストであってイスラム教徒ではないなどとの公式声明が行われ、少なくとも表面的には過激派とムスリムが区別されていたが、今回はそれが乏しい。誰がテロリストなのか判断が難しいことを理由に、シリア難民、そしてイスラム教徒一般も脅威と見なしてしまう。それは欧米多元主義の自壊である。

既に過去一年、慎重姿勢を一転した各国はシリア空爆を繰り返してきたが、苦しい状況が続いている。地上部隊の支えのない空爆は戦果を支えることができないからだ。ISISへの攻撃が成果を収めた区域はクルド系勢力、さらにイラク軍が活動する区域に集中しており、地上軍の支援をともなわない区域では成果がまだ乏しい。

だが、パリのテロ事件を受けて各国が地上軍の派遣に踏み切ったとしても空爆に頼る戦略に変わりはないだろう。自軍の犠牲を恐れるからである。

空爆には誤爆が避けられない。まして情報が乏しいなかで空爆を繰り返すなら、一般市民への誤爆も拡大する。欧米諸国の介入への反発を広げ、武装勢力が力を強めることになりかねない。

では、どうすれば良いのか。まず私は、ISISに対する力の行使を避けてはならないと考える。テロに立ち向かう上で第一に必要なのは軍隊ではなく警察であるが、ISISが中核とするシリア・イラク地域では通常の警察行動による排除を期待することはできない。ISISを相手とする限り武力行使を避けることができない。

だが、空爆に頼る軍事介入には賛成できない。国外の勢力による武力行使がその土地の人に正当なものとして受け入れられることは少ない。必要なのは住民の安全を高めることが明確であり、人々も前より安全になったと認識するような武力の使い方である。

私は二年前のこのコラム（九〇ページ以降参照）においてシリア紛争については難民への支

援を第一に考え、その目的と結びついた地上軍派遣が必要であると主張した。難民支援とは武力を排除した人道的活動ではなく、難民の安全を保つためには十分な規模の地上軍が必要となる。だが、そのような軍事介入は、空爆よりも人々の安全とのつながりが明確である。

シリアではクルドとの対立からトルコ政府が国連難民キャンプの設立を拒んできた。そのためにトルコは本国の中に膨大な難民を受け入れ、それが財政負担となるばかりかトルコ国内でテロ事件が発生する原因ともなった。それから二年、国連の関与を認めないとはいえトルコの中にも数多くの難民キャンプが生まれている。

ここに一つの鍵がある。空爆すれば相手を倒せるというのは希望的観測に過ぎない。難民の安全を図るため安全な地域を確保し、難民の信頼を得るとともに、そうした安全な地域を難民キャンプの外へ次第に拡大する。地味で困難なうえに危険な作業だが、破綻国家に平和をもたらすためには避けることのできない選択である。

ＩＳＩＳと妥協する余地はない。しかし、武装勢力どころか武装勢力の犠牲者である人々から信頼を勝ち取ることができなければ、敵と味方の不寛容な対立を広げ、テロと空爆の連鎖が続いてしまう。それはまた欧米社会における多様な民族や宗教の共存を許す多元主義の崩壊にもつながるだろう。

（二〇一五年一一月二四日）

もうひとつのアメリカ

アメリカのオバマ大統領が就任してから七年、政権当初に寄せられた期待は失われてしまった。

カリフォルニア州のサンバーナディーノで一四名を射殺した容疑者が過激派組織「イスラム国」(ISIS)の支持者であることが判明した直後、オバマ大統領は執務室からテレビ演説を行った。執務室からの演説はごく重大な場合に限られている。オバマ政権では、就任以来これが三回目に過ぎない。

その背後にはアメリカ社会に広がる不安がある。

サンバーナディーノの乱射事件はパリの大規模なテロから時を置かずに発生したためアメリカ社会に大きな不安を与えていた。ISISに対する軍事行動が成果を上げていないという不満も広がっていた。状況を放置すれば、過激派ばかりでなくイスラム教徒一般への反発や差別が広がる可能性があった。

オバマ大統領の演説は、テロリズムと対決する方針を示す一方、過剰反応すべきでない、米国とイスラムの戦争と捉えてはならないと述べるものであった。対テロ攻撃は成果を上げているると指摘することで国民に安心を与える一方、アメリカ社会がイスラム教徒への迫害に向かわないように求めたのである。

だが、この演説が効果を上げたとはとてもいえない。かつてプラハやカイロでのオバマ演説を絶賛した新聞とテレビも、今回の反応は弱かった。元大統領候補のマケイン上院議員は、ISISに立ち向かう戦略を示すことにまた失敗したと非難し、次期大統領選挙に向けて共和党から立候補しているマルコ・ルビオ氏やテッド・クルーズ氏もオバマ政権によるISIS攻撃とテロ対策の失敗を批判した。なかでも極端なのが、世論調査で共和党大統領候補トップを走るドナルド・トランプ氏である。オバマ演説の直後にトランプ氏は、ソーシャルメディアに「たったこれだけ？　すぐ新しい大統領が必要だ」と書き込んだ。

さらにトランプ氏は、イスラム教徒アメリカ入国の全面禁止を訴えた。状況がわかるまでという限定がつけられているとはいえ、過激派の疑いがある場合などという条件なしにイスラム教徒すべての入国を拒絶するのだから穏やかではない。トランプ氏の訴えは民主・共和両党の政治家やマスメディア、さらにロンドン市長をはじめとする米国外の政治家から厳しく非難されたが、トランプ氏は方針を撤回していない。しかも発言後に行われた世論調査ではトランプ候補の支持率が高い。イスラム教徒迫害を戒めるオバマ大統領と対極に立つ、もうひとつのアメリカである。
アメリカが民主党を支持する「青い州」と共和党支持の「赤い州」に分裂するなかで、アメリカに統合を回復させる指導者という期待を集めてオバマは、大統領に就任した。対外政策では、アフガニスタンとイラクから撤兵し、二つの戦争によって失ったアメリカの信用を回復することが期待された。アメリカのなかの分断を乗り越え、アメリカと世界、さらに世界各国の間に開いた溝を乗り越える指導者というイメージである。

それから七年、民主・共和両党の対立は厳しく、赤い州と青い州の分断が続いている。警官によるアフリカ系アメリカ人への暴力とその引き起こす反発を見ればわかるように、人種問題も深刻だ。対外的にはイラク撤兵を実現しながらＩＳＩＳの台頭を直接のきっかけとしてイラク・シリア空爆を開始し、その効果が上がらないなかで欧米諸国では過激派のテロが続く。統合を実現するどころか、アメリカ、さらに世界全体を見ても分断と対立が続いているというほかはない。

オバマ大統領がこれまでに行ってきた演説は、分断ではなく統合、アメリカの単独行動ではなく国際協力、そして軍事行動以外の選択を模索してきたといってよい。その大統領の下で国内の分断と欧米諸国とイスラム諸国の対立が拡大したことは皮肉というほかはない。

さらに深刻なのは、アメリカに、分断、単独行動、そして軍事力優勢を訴える大統領が登場する可能性である。私はトランプ氏が大統領に当選する可能性は極めて小さいと考えるが、それでもラテン系、アフリカ系、イスラム系など、あらゆる人々に対する暴言を繰り返してきたこの人物を支持するアメリカ国民が少なくないことは無視できない。マイノリティー、移民、さらに過激派によって自分たちの安全が脅かされていると考える人々がそこにいる。

アメリカが単独行動と力の優先に向かえば国際関係の求心力が失われる。そのとき、オバマよりブッシュがよかったとかオバマもブッシュも違いはない、アメリカはいつも同じだなどという主張がどれほど誤ったものなのか、思い知らされることになるだろう。

（二〇一五年一二月一五日）

トランプ現象を支えるもの

アメリカ大統領選挙が行われるのは二〇一六年の一一月。アイオワ州の党員集会が二月一日、ニューハンプシャー州予備選挙も二月九日だから、選挙戦はまだ序盤に過ぎない。ところが今回の選挙の場合はすでに前年から関心が高く、共和党大統領候補のテレビ討論会も異例の高視聴率を集め続けた。

その理由はドナルド・トランプ氏が大統領に立候補しているからだ。テレビ番組でよく知られたこの富豪は、従来のアメリカ政治では考えられない極端な提案や発言を繰り返してきた。

不法移民流入を阻止するためにメキシコとの国境に壁を作り、その建設費用をメキシコ政府に払わせる。中国からの輸入品に四五%もの関税をかける。シリア移民を受け入れないばかりか、(時限措置とはいえ)イスラム教徒すべての米国入国を禁止する。その間には女性の大統領候補フィオリーナの容姿をあげつらい、最近ではカナダ生まれのクルーズ候補に大統領になる資格があるのかといい出した。

どれをとっても現実に採用することは考えられない、というより考える必要さえない提案だが、途方もないからこそ米国のマスメディアはそれをこぞって取り上げ、その結果としてトランプ氏が選挙報道をほとんど独占してしまう。マスメディアの非難を繰り返すトランプ氏がマスメディアを利用するわけだ。トランプ現象とでもよぶべき事態である。

誰でもこんなことが続くはずはないと考えるところだ。実際、当初はトランプ現象が一過性で終わるという観測が一般だった。だが七月下旬からほぼ半年、トランプ氏は全国世論調査で首位を維持してきた。各党候補がまだ決まらない予備選挙の時期には全国よりも予備選挙の行われる州の世論調査が重要だが、そこを見ても、アイオワではクルーズ氏と首位を争い、ニューハンプシャーでは七月下旬から一貫して首位を保っている。その間には、最有力候補と目されたジェブ・ブッシュ氏の支持が凋落し、世論調査五位で低迷するという番狂わせも起こった。

希望的観測もこめていえば、私は、トランプ氏が最終的に米国大統領となる可能性は依然として低い、むしろトランプ氏が共和党候補に選ばれるなら民主党候補が本選挙で有利になると考える。だが、話はそこで終わらない。トランプ現象がアメリカ政治の争点を変えてしまったからである。

まず、不法移民の排除が公然と議論されている。移民排斥の歴史が長い米国でも、近年の大統領選挙でそれが公言されることは少なかった。白人が多数とはいえ多民族社会であるアメリカでは、白人以外の民族を排除する言動が全国選挙では不利に働くからである。特にメキシコ出身者などのラテン系は人口に占める比率が増大しているため、その排除どころか取り込みこそが共和党の課題だった。

だが、多数派の地位を失いつつある白人から見れば、移民増加は自分たちへの脅威に映るだろう。現在の欧州では移民排斥の動きが広がっているが、多数派民族が少数派を排斥する政治のありかたがトランプ現象によってアメリカでも始まったかのようだ。

また、対外政策が選挙の争点となった。一般に外交が選挙の争点となることは少なく、争点になるときは強硬な対外政策の是非が中心になりやすい。今回の選挙の場合、イスラム世界とアメリカとの関係がその争点である。

オバマ大統領がシリア難民の受け入れ方針を発表したとき、それはテロリストの入国を招くとしてトランプ氏は反対した。この段階では争点が難民受け入れに限られていたが、その後にパリで大規模テロが発生し、米国サンバーナディーノ銃乱射事件の主犯がイスラム過激派であることがわかると、競い合うように過激な対外政策が議論される。トランプ氏だけではない。世論調査首位をトランプ氏と争うクルーズ氏は米国がシリアを絨毯（じゅうたん）爆撃すべきだと主張している。

トランプ現象が示すのは、単独行動のアメリカの復活である。オバマ政権は国外への軍事介入に消極的であったが、中東の不安定と国際テロが拡大するなかで、アメリカの対外政策が変わろうとしている。トランプ氏の目的はあくまでアメリカ国民の安全に限られ、国際社会全体の安定も世界各国との連携も視野の外に置かれている。

トランプ現象を支えるのは、異民族やイスラム教徒によってアメリカ国民多数派の安全が脅かされているという恐怖だろう。その恐怖が広がることによって、これまでは表だって語られなかった民族偏見や対外偏見も公的な言論に浮上してしまった。

トランプ氏は粗暴な言葉で米国社会の恐怖をあおり、社会に潜んでいた偏見を外へ解き放った。パンドラの箱から解き放たれた偏見を箱に戻すことはできるだろうか。

（二〇一六年一月一九日）

世界の不安定は加速する

二〇一六年の世界。アメリカの影響力が後退している。

クリミアはロシアに併合され、ウクライナ東部はロシア系住民による事実上の支配下に置かれている。ジョージア（グルジア）領であった南オセチアとアブハジアに続き、旧ソ連圏の一角がロシアの勢力圏に加わった。

中東はどうか。アメリカは過激派組織「イスラム国」（ＩＳＩＳ）打倒を目的としてイラク・シリアにおける空爆を展開したが、その成果が上がらないなかで、ロシアによる支援を受けたアサド政権はシリア北部の都市アレッポなどで攻勢を強めている。ＩＳＩＳとの戦闘が一進一退を続けるアメリカと、アサド政権を後押しして成果を上げるロシアとの対照は明らかである。

中東諸国との協力も弱まった。核開発を巡るイランとの国際合意はイスラエルばかりかサウジアラビアからも反発を受け、両国のアメリカ離れを加速した。シリアでもトルコはＩＳではなくクルド武装勢力への攻撃を続け、サウジアラビアと協力してアサド政権と直接の戦闘に訴える勢いだ。アメリカの友邦であるはずの二つの国が、アメリカを飛び越えて戦争に走りかねないのである。

東アジアでは「アジアへの軸足」のかけ声の下で中国との対抗を打ち出したが、ここでも成果が上がっていない。中国が実効支配を続ける西沙（パラセル）諸島や南沙（スプラトリー）諸島の海域に駆逐艦を派遣したが、中国による人工島の建設はいまなお続いている。さらに北朝鮮は、核実験を成功させたばかりか、ロケットの発射も行った。

権力とは相手を操作する力であると考える限りどこを見てもアメリカ政府が各国を操作する力が後退している。この状況はなぜ生まれたのだろうか。

アメリカの凋落だ、第二次世界大戦後七〇年余りにわたって続いたアメリカの国際的覇権が、その軍事力と経済力の衰えによって失われたのだ、という見方があるだろう。日本ばかりでなく中国などでも耳にする主張だ。

だが、アメリカの軍事力と経済力は衰えてはいない。精密誘導兵器や兵士の戦闘経験を見ればわかるように、米軍に対抗できる軍は今日の世界に存在しない。経済についても景気後退に直面しているのは中国、ロシア、欧州諸国であって、アメリカ経済は持ちこたえているというべきだろう。軍隊と経済という力の源に関する限り、アメリカが凋落したとは言えない。

では、力を持ちながらなぜ各国を操作できなくなったのか。それは、長期的には中国、ロシアなどによる地域覇権の模索であり、短期的にはアメリカが軍事介入に消極的になったためであると私は考える。

米ソ冷戦が終結した四半世紀前、ロシアも中国も対米関係の安定を対外政策の第一の目的とし、それがアメリカの影響力を支えた。だが、軍事力と経済力の発展とともに、中ロ両国は地域における影響力の拡大を求め、対米協調ではなくアメリカの関与を拒む政策に転換した。中国による地域覇権の模索については多くの分析が行われている。ソ連解体という形で冷戦終結の負け組となったロシアにおいては失われた影響力の回復に向けた世論の支持は中国以上に大きい。アメリカの覇権喪失は、中ロ両国による地域覇権の模索と裏表の関係に立っている。

そして、アメリカが軍事介入に消極的になった。アフガニスタン・イラクという二つの介入が大きな代償を強いたため、オバマ政権の下のアメリカは海外への派兵を渋り、軍事介入する場合でも空爆に頼り、地上軍投入を避け続けた。

戦争に訴えるから世界各国がこれまでアメリカに従ってきたといえば言い過ぎになるだろう。だが、アメリカがシリア介入を渋ったことがトルコ、サウジアラビア、イスラエルのアメリカ離れを加速したことは否定できない。アメリカは軍隊が弱いからではなく、戦わないから影響力が後退したのである。

この状況が長く続くことはないだろう。選挙に向けた共和党の大統領各候補の発言を見ればわかるように、弱いアメリカとはアメリカ国内で不人気な政策だからだ。そこから生まれるのが、戦わないアメリカから戦うアメリカへの転換である。

そして、アメリカが戦争に積極的になれば世界が安定することにもならないだろう。むしろ、戦うアメリカへの転換は、地域覇権を求める中ロ両国との緊張を激化させ、国際関係の不安定を招く公算が大きい。

二〇一六年の世界は不安定である。だが、戦わないアメリカが戦うアメリカに転じたなら、その不安定はさらに加速する。戦うアメリカに期待をかけてはならない。

（二〇一六年二月一六日）

EUという隘路

欧州連合（EU）の発足を定めたマーストリヒト条約が調印された一九九二年からおよそ四半世紀、ヨーロッパの統合が大きな壁に面している。

まず、経済統合が壁にぶつかった。他の地域機構と異なり、EUは貿易の自由化ばかりでなく共通通貨ユーロまで導入したが、その結果として、各国政府は通貨供給量を単独では調整することができなくなった。もし加盟国のひとつで経済危機が発生すれば、地域経済に波及する懸念がある。この、ポール・クルーグマン氏が早くから指摘してきた共通通貨に伴う潜在的危険が、二〇一五年のギリシャ経済危機によって一気に表面化してしまった。

人の移動の自由化もヨーロッパ統合の柱であるが、難民問題を契機に政策を続けることが難しくなっている。シリアなどから流入する難民に対する各国の政策には著しい違いがあるからだ。スロバキアやハンガリーなどの諸国は難民の入国規制に踏み切った。ドイツのメルケル首相はEUがシリア難民の受け入れを認めるよう、率先してドイツの難民受け入れを表明したが、国内から厳しい反発を受け、政権を揺るがす事態となった。

危機に直面したEUの選択は、難民受け入れの後退だった。三月八日、トルコ政府とEU

は、三〇億ユーロにのぼる資金協力と引き換えにトルコ国外への難民流出を制限することに合意した。紛争によって住む土地を追われた人々がEUに入ってこないようにするため、巨額のお金をトルコ政府に支払ったと評されても仕方のない内容だ。

どうしてこんなことになったのだろう。

本来のヨーロッパ統合はヨーロッパが再び戦争に陥ることがないようにしようという不戦共同体の模索と不可分の関係にあった。石炭鉄鋼共同体の設立から統合が始まったのもそのためである。だが、現在の欧州統合は、不戦共同体ではなく、二回の石油危機を経て傷ついたヨーロッパ経済を再建することが直接の引き金であった。市場統合を進めることによって地域経済の競争力の回復を図るのである。

当初は西欧諸国が市場統合の対象であったが、マーストリヒト条約締結に至る過程が冷戦の終結期と重なったことから、焦点は西欧ではなく、東欧諸国など新興経済圏の統合に移っていった。旧共産圏諸国をEUに迎え入れ、新興経済圏への投資拡大によって欧州主要国の経済を支えるという構図がこうして生まれる。好況が続く限り、経済統合は合理的な政策だった。

だが、景気が悪くなれば、新興経済圏は経済発展の足がかりではなく、逆に経済発展を阻害するリスクになってしまう。競争力の低い経済が政府だけでは危機に対処できないとき、

EUによる資金供給に頼るほかに選択はない。そして、たとえばギリシャに大規模な経済支援を行ったところで、ギリシャが経済再建を実現する展望は暗い。

人の移動の自由化にも経済的背景があった。ドイツを典型とする低い出生率と恒常的な労働力不足に悩む西欧諸国の経済にとって、国外からの労働力受け入れは、特に景気が拡大する時期には魅力的な選択であった。

しかし、景気が後退に向かった場合、移民が低所得層として国内のアンダークラスを構成し、治安を脅かすことになりかねない。まして中東などの紛争地域から流入した難民や移民のなかには、過激な武装組織に共鳴する人が含まれている可能性もある。ここでも、地域統合の推進が、経済発展の足がかりではなく、経済的、さらに政治的リスクに変わってしまうのである。

既にイギリスではEU離脱が議論されている。市場統合と人の移動に対する疑問が大陸諸国でも強まっているのだから、もともとEU統合への懐疑的な意見が根強いイギリスでEU離脱が論じられることに不思議はない。仮にEUから離脱しなくても、イギリスと大陸諸国との政策協力が弱まることは避けられない。

ヨーロッパの統合には、政治における民主主義と経済における資本主義を共有する西欧諸国の主導により、東欧を含む地域全体の自由と繁栄を実現するという夢があった。この夢は、市場の自由化と民主主義の拡大が繁栄と平和を約束するという、国際政治における経済的リベラリズムと政治的リベラリズムに支えられていた。

だが、経済が後退するときに地域の統合を支えることは難しい。景気後退に対して実効的に対処する力を持ち、またその期待を寄せられるのは各国の政府であってEUではない。労働力の確保より治安維持が優先事項となれば移民の流入に反対する世論が生まれることも避けられない。移民排除を求める右派政党の拡大はその表れである。ヨーロッパの統合は好景気の徒花（あだばな）に過ぎなかったのか、EUの求心力が問われている。

（二〇一六年三月一五日）

第六章
多数決はいちばんよい制度か

抑止の限界

軍事力によって相手の行動を事前に抑えこむ。これが抑止戦略と呼ばれる、現代の国際関係において世界各国の多くが採用する軍事戦略である。だが、この抑止戦略が機能することの難しい状況が世界に広がっている。

まず基本を押さえておこう。国際関係において各国が軍事力によって達成を求める目標の第一が国家の防衛である。そして、その国家の防衛は、通常は抑止戦略によって実現することが期待されている。侵略された場合には大規模な反撃を加える準備を整え、さらに反撃する意思を相手に対して明確に示すことによって、相手による侵略を未然に防止するのである。

抑止戦略が武力の放棄を求める平和主義と異なることはいうまでもないだろう。抑止力が相手の行動を抑えるだけの実効性を持つためには、相手に対抗することが可能なほど大規模な兵力を持たなければならないからだ。

抑止は侵略によって領土の拡大を求めるような攻撃的政策ではないが、だからといって抑止によって紛争を避けることができるとも限らない。どの国も防衛を目的とし、侵略する意思は乏しいと考えられる場合においても、相手の軍事行動に備えるためには軍備の拡大が必要となり、その結果として軍拡競争と、それを原因とした国際的緊張が広がる可能性が高いからである。これが安全保障のジレンマと呼ばれる状況であり、冷戦のもとの米ソ関係を支配し続けることになった。

また、抑止に頼ることなく平和を支えることが可能であれば、そのほうが抑止に頼る平和よりも望ましいことは疑いない。イギリス、フランス、ドイツなど西欧主要国の間においては、すでに軍事的威嚇によって相手の行動を抑える必要はなくなった。国際関係の安定が十分に期待できるのなら、抑止ではなく、相互信頼に基づいて平和を実現することができるだろう。

このように抑止戦略にはさまざまな限界はあるが、それでも国際関係における各国の政策としていまなお支配的な役割を果たしていることは否定できない。諸外国を全面的に信頼することはできず、軍事力による攻撃が加えられる可能性が残る限り、抑止の必要性も残されるからである。憲法九条によって戦力を放棄したはずの日本が自衛隊を保持し、アメリカと同盟を結んできたのも、諸外国によって攻撃が加えられる懸念を取り除くことができないからであった。

さて、私の目的は、安保条約や新安保法制の擁護ではない。問題は、軍隊を持ち、同盟を結び、アメリカの核抑止力に頼ったところで、それだけでは打開することのできない状況が現代世界に発生していることである。

第一に挙げられるのが、二〇一六年二月末の停戦合意が危機に瀕（ひん）しているシリア情勢である。アサド政権、「イスラム国」と称する過激派組織、さらに他の武装勢力もその存続を懸けて戦っているだけに、諸外国が軍事的に威嚇したところでそれらの勢力の行動を変えることは期待できない。シリアばかりでなく、自爆を覚悟したテロリストや過激勢力は軍事力で抑止することができない。ここでの選択は軍事介入を行うか否かであって抑止ではない。しかも軍事介入を行ったところで、地域の安定を実現することはごく難しいのである。

第二が、南シナ海や尖閣諸島などにおける中国人民解放軍の展開である。米中が戦争に突入すれば両国とも甚大な被害を受けるだけに、米中両国による本土爆撃のような事態は抑止できるだろう。だが、人工島や滑走路建設を阻むために大規模な軍事介入を行う意味は少ない。アメリカは海域に駆逐艦を派遣したが、中国政府の行動を変えることはできなかった。抑止では相手を牽制できず、しかも軍事介入に訴えるリスクは極度に高いのである。

第三に、北朝鮮問題も抑止の限界を示している。核実験もミサイル実験もこれまでに北朝鮮が行ってきたものであるが、一六年一月の核実験やその後のミサイル発射は、元国防副委員長張成沢（チャンソンテク）や人民武力相玄永哲（ヒョンヨンチョル）が粛清された後に進められた。もはやアメリカを交渉のテーブルに引き出す算段として説明することはできない。北朝鮮政府の攻撃的な政策を抑止する試みは失敗に終わったというほかはない。

これまでは抑止戦略に対して平和主義の立場から道義的批判が加えられてきた。だが、いま問われているのは抑止の正当性ではなく、その限界である。抑止に頼っても紛争を解決できないとすれば、武力紛争の拡大を放置するか、あるいは大きな犠牲を顧みず軍事介入に訴えるほかはない。抑止戦略に頼っても軍事介入に頼っても平和と安定を期待することができない、そのような世界に私たちは生きている。


（二〇一六年四月二〇日）

アメリカと戦争

オバマ米大統領の広島訪問にあたり、謝罪すべきではないかという点に議論が集中している。さて、どう考えるべきだろうか。

アメリカ国民のなかに広島・長崎への原爆投下を肯定する意見が多いのは事実である。もっとも、時代による若干の変化も認めることはできる。

一九四五年九月に行われた世論調査では、二都市への原爆投下に賛成するものが五三％に上った。投下直後にしては少ないと思われるかも知れないが、日本が降伏する機会を得る前にもっと早く、もっと多くの原爆を投下すべきだったという意見が二三％に上る。威嚇効果に目的を限って無人地帯に投下すべきだったという意見は一四％あるが、原爆を投下すべきではなかったとする声は四％に過ぎない。

この過去の調査を発掘したスコット・セーガン（スタンフォード大学教授）とベンジャミン・ヴァレンティノ（ダートマス大学准教授）が二〇一五年に同じ内容の世論調査を行ったところ、広島・長崎への原爆投下に賛成するものは二八％に減り、無人地帯への威嚇的投下は三二％、そして原爆は投下すべきでなかったとの意見は一五％近くに増えた。核兵器使用に賛成する意見を合計すれば優に半数を超えるが、その内容には変化が生まれている。

では、アメリカ国民は核兵器使用に消極的になったのか。それを調べるため、セーガン氏のチームは、次の架空の設定を元に世論調査を行った。核合意違反を理由にアメリカがイランへの経済制裁を再開したところ、イランはアメリカの空母を攻撃し、二四〇三人が死亡した。米国はイランに宣戦するが、ここで軍事戦略の選択に直面する。イランに地上軍を派遣すれば米兵の犠牲は二万人に上る。他方、テヘラン付近の主要都市に核兵器を投下すればイラン側に一〇万人程度の犠牲が生まれるが、イランには同様に攻撃をアメリカに加える力はない。

地上軍派遣と核兵器使用、どちらを選ぶか。この調査によれば、核兵器使用に賛成する声が五九％に上った。イラン側の犠牲を二〇万人と倍増しても、やはり同じ五九％が核の使用に賛成した。広島・長崎への原爆投下を肯定する声が減ったからといって、現在核兵器を使うことにアメリカ国民が消極的になったとまでいうことはできない。

もちろんこれは架空の事例による調査に過ぎないが、ここで議論しているのは核の保有や抑止ではなく、実戦における核の使用である。広島への原爆投下から七〇年以上経った現代世界において核兵器による殺戮を肯定するアメリカ国民が存在することは、広島への投下を正当化する声以上に、私を戦慄させる。

就任当初のオバマ大統領にはヨーロッパを中心とした世界各国から大きな、時には過大な期待が寄せられた。イラク戦争という正当性も必要性もない侵略を行ったブッシュ大統領と異なり、戦争に頼らないアメリカを実現する指導者となるのではないか。原爆投下国としてアメリカは核兵器廃絶を進める責任があると述べたプラハ演説でその期待はさらに高まり、まだ政策も結果も見えないうちにノーベル平和賞を受賞してしまった。

しかし、就任から七年、オバマ大統領が就任前よりも平和な世界をつくりあげたということはできない。各国とともに軍事介入を行ったリビアも、当初は介入せず、その後には空爆に踏み切ったシリアも破綻国家となってしまった。プーチン政権の下で米ロ関係が緊張したためとはいえ、ブッシュ政権まではなんとか進んでいた米ロの核兵器削減も進んでいない。

オバマ大統領の広島訪問が行われるのは、軍事介入は成果がなく、米ロ、さらに米中の対立が厳しい世界である。原爆投下を謝罪しないと批判する人がいるだろう。北朝鮮、さらに中国を前にするとき、必要なのは核軍縮ではなく核抑止の強化だと主張する人もいるだろう。この大統領は口だけだ、演説はうまいが結果が出ないとあざける人もいるだろう。

だが、今回の広島訪問は、核の使用は何をもたらすものなのか、その巨大な犠牲にアメリカ、さらに世界の人々の目を向けさせる機会として意義が大きい。原爆投下を正当化し、核兵器のおかげで平和を享受していると考え、状況によっては核兵器の使用も辞さない人々の数多いアメリカの指導者としては、勇気を要する行動である。

訪問だけでは意味がない。プラハ演説において、オバマ大統領は核兵器を廃絶する責任を訴えた。広島訪問はその地点に立ち戻る機会である。それはまた、核廃絶を訴える一方でアメリカの核に頼って安全を模索してきた一面も否定できない日本が、核の傘に頼らない安全保障を考える機会でもあるだろう。

（二〇一六年五月二五日）

米社会は人種差別から解放されたのか

アメリカ社会は人種差別から解放されたのだろうか。それに疑いを投げかける事件が続いている。

七月一七日、ルイジアナ州バトンルージュで銃撃事件が発生し、警官三人が死亡、三人は負傷した。それより一〇日前の七日、テキサス州ダラスで警官を狙った狙撃事件により五人が殺害された。どちらの事件でも容疑者と目されたのは黒人青年であり、警官を狙った銃撃であると考えられている。

警官が銃撃された背景には、警官によってアフリカ系のアメリカ国民が射殺された数多くの事件があった。その中心が、ファーガソン事件である。

二〇一四年八月、ミズーリ州ファーガソンで、一八歳の黒人青年マイケル・ブラウンが警官ダレン・ウィルソンに射たれ、死亡した。この事件が発生した直後からファーガソンの町では抗議運動と暴動が続いていたが、同年一一月にウィルソン警官が刑事訴追を免れると、ファーガソンばかりでなく、各地でも抗議がわき起こった。

二年前の二〇一二年には、フロリダ州で、アフリカ系のトレイボン・マーティンが自警団長ジョージ・ジマーマンによって射殺された。この事件に無罪判決が下りたのをきっかけに、警官による黒人への暴力に抗議する、「ブラック・ライブズ・マター（黒人の命は大切だ）」運動が生まれることになった。

スマートフォンによってファーガソン事件の現場を撮影した映像が拡散したこともあって、ブラック・ライブズ・マター運動は全米を席巻した。二〇一四年八月にはファーガソンに向かって全国から行進するという、まさに一九六〇年代公民権運動を思わせるようなイベントも展開された。

それでも、警官によって黒人青年に暴力が加えられる事件は後を絶たなかった。二〇一六年七月だけでも、ルイジアナ州、さらにミネソタ州で黒人男性が射殺されている。ダラスとバトンルージュにおける警官への銃撃は警官による一連の黒人射殺に対する復讐（ふくしゅう）だった。暴力行使を認めないブラック・ライブズ・マター運動から警官銃撃というテロ行為にエスカレートしたのである。

五〇年代後半、マーチン・ルーサー・キング牧師の指導によるモンゴメリー・バス乗車ボイコット運動などを皮切りとして、アメリカでは公民権運動が高揚し、南部地域における人種隔離政策は後退した。しかし、公民権法が定められた後もクー・クラックス・クランのような白人至上主義団体や白人警官による暴行が続いた。六八年にキング牧師が暗殺されるとアメリカ各地で暴動が起こり、黒人運動の一部は武力闘争路線に向かった。

オバマ大統領が就任してから七年経った現在、人種差別は既に公の場から退いている。だが、アメリカの人種対立が解消されたとはいえない。アフリカ系アメリカ国民の平均的な所得や教育はいまなお低く、黒人を犯罪者の予備軍と見なす警官も少なくない。白人から見れば自分たちの命を守る警察が、黒人社会にとっては生命を奪う存在なのである。

一部の警察が黒人を射殺し、それに反発した一部の黒人が暴力に走るだけでも憂慮すべき事態であるが、問題はそれだけではない。人種差別を否定し、社会の多様性を認めようという、少なくとも六〇年代末期から半世紀にわたってアメリカ社会の公式の立場となってきた考え方に対し、白人社会のなかに隠微な不満が生まれているからである。

オバマ大統領の導入した医療保険制度、オバマケアに対する共和党の反発のなかには、貧困層の医療をどうして豊かなわれわれが負担しなければならないのかという、隠された差別意識があった。共和党大会において大統領候補指名を手にしようとしているドナルド・トランプ氏は、オバマ大統領がブラック・ライブズ・マター運動に肩入れしているとの発言を繰り返している。

そのトランプ氏の選挙集会では、ブラック・ライブズ・マター運動が発言を求め、「USA」と連呼する観衆によって押し返される光景が繰り返された。トランプ氏を支持する観衆にとっては、差別の残存ではなく、差別があるという主張が問題なのである。

公民権運動の高揚する六〇年代、黒人作家ジェームズ・ボールドウィンは「次は火だ」というエッセーを発表し、白人エリートにも黒人の過激主義にも与することができず、キリスト教の教えにも救いを見いだせない、黒人としてアメリカに生きることに伴う絶望的な怒りを伝えていた。

ボールドウィンは、白人も黒人もともに変わらなければ差別は撤廃できないと考えた。では両者が変わることをやめたとき、何が起こるのだろうか。

（二〇一六年七月二〇日）

多数決はいちばんよい制度か

小学校の先生に教わった民主主義とは、要するに多数決のことだった。

ほんとうに多数決がいちばんよい制度なのか、その頃から疑問だった私は、どうして多数決がいいんでしょうと先生に質問したことを覚えている。

先生は質問に答える代わりに、どこがいけませんかと私に質問を返した。民主主義と多数決を同じものにすればどんな問題が発生するのか、小学校五年生の私は答えることができなかった。

半世紀経ったいまも自信はない。でもあえて答えるなら、多数決だけの民主主義から取り残されるのはマイノリティーの問題だと思う。

多数決によって選挙や議会の投票結果が決まったとしても、負けた側がその決定に従わなければ制度は成り立たない。今度は負けても次の機会には自分が勝つことが期待できるのであれば、自分に不利な決定を受け入れることもできるだろう。だれが多数派で誰が少数派かが固定していない場合、多数決は必ずしも不合理な制度ではない。

それでは、国民の一部に過ぎない少数民族とか宗教など、人口が少ないために国内社会の多数となることができない人についてはどうだろう。民族や宗教によって差別されることがなく、それが政治の争点となっていなければともかく、民族や宗教の違いによる差別が厳しい場合には紛争の発生は免れない。政治社会の決定が多数決によって行われ、その多数決が多数派の考えばかりを反映するなら、少数派が迫害の排除を求めても成果は期待できない。制度によって解決ができないのであれば、力に訴える人も生まれてしまう。多数決だけに頼る民主主義だけでは多数派と少数派が共存する社会をつくることは難しい。

欧米諸国における民主主義は、決して多数決だけを指すものではなかった。森政稔氏が

『変貌する民主主義』（ちくま新書）で触れているように、現代の民主主義は自由主義を源流として、そこに民主政治という統治の仕組みが加わったものとして捉えることができる。もし民主主義が政治権力を多数派の手に委ねるだけのものであるなら、民主主義が独裁への道を開くことになりかねない。民主政治の前提は多数派と少数派の別を問わない自由な公共社会である。

移民は少数派の代表である。移民を受け入れてきた背後に国内労働力不足の解消という要請があったのは事実だが、とはいえ、移民との共存は欧米諸国における政治社会の基礎であり、誇りでもあった。移民国家であるアメリカはもちろん、域内の人の移動を自由化したヨーロッパでも、文化や歴史の異なる人々が一つの制度の下で暮らす公共社会を実現したと考えられていた。

そのような社会観念は、いまではすっかり衰えてしまった。欧米諸国の周辺においてＩＳＩＳ（いわゆる「イスラム国」）と結びついた武装勢力が生まれ、その暴力行為がそれまでにも存在してきた国内における移民排斥をさらに強めたからである。

新たな移民がその社会に受け入れられ、根づくことは常に難しい。ことにイスラム地域からの移民の場合、宗教の相違もあって文化的な摩擦は厳しく、フランスやベルギーなどにおけるテロの背景となった。アメリカにおけるメキシコなどからのラテン系の移民は、それまでの住民との人口比率を変える規模に及んでいた。

多民族や多文化の共存などという綺麗事を拭い去り、少数派の排除を公言する政治が生まれる背景は、このような多数派の少数派に対する恐怖があった。メキシコとの間に壁をつくって不法移民を排除しろと訴えたドナルド・トランプ氏は、アメリカ共和党の大統領候補者になった。一六年六月にイギリスで行われた国民投票においてEUからの離脱派が勝利を収めた原因の一つにも移民流入への反発が挙げられている。

事態を誇張すれば誤りになるだろう。世論調査を見る限り、共和党候補に指名されたとはいえ、トランプ氏が次期アメリカ大統領となる可能性は低い。国民投票後のイギリスでは政治的混乱が続いているが、EU離脱に加え移民排斥を正面から主張するイギリス独立党は支持を落としている。欧米諸国が多数派と少数派の共存を放棄したなどということはとてもできない。

それでも、多数派と少数派が不寛容に向かい合う構図は不気味だ。既に自由主義は、自分の自由とともに他者の自由を認める制度ではなく、国家が市場から出て行けば自由な社会が保たれるという観念となって久しい。いま民主主義は、自由な公共社会における統治の仕組みではなく、多数派が少数派を排除する制度の別名に変わろうとしている。

（二〇一六年八月二四日）

法の支配なき民主主義

民主主義が危機に直面している。民主主義のもとで法の支配が失われる危機である。危機に直面する社会の第一は、ドナルド・トランプ氏が大統領となる可能性の生まれたアメリカである。リアル・クリア・ポリティクスによる世論調査の平均値によれば、民主党大会後の八月初旬には民主党候補ヒラリー・クリントン氏との間に八ポイント近く開いていた差が、九月一八日現在では一ポイントを切る差となった。クリントン氏が優位とはいえ、接戦だ。

トランプ氏の政策には極端なものが多い。メキシコとの国境に壁を設け、その建設費をメキシコ政府に支払わせる。テロの容疑者に対する拷問、さらに容疑者の近親者の拘束も認めてしまう。難民受け入れを否定するのはもちろん、時限措置とはいえ紛争地域からのアメリカ入国を禁止する。ＮＡＴＯや日米安保条約を見直し、負担増に応じなければ米軍を撤退する。いずれも国内のマイノリティーや諸外国との関係を二の次にした、大胆、あるいは乱暴な政策である。

こんな政策を実施すればアメリカ国内における人種と民族の分断が加速し、諸外国との関係も悪化してしまう。アフリカ系やラテン系などアメリカ社会のマイノリティーのなかにトランプ支持が少ないのも当然だろう。経済や外交の専門家もトランプ候補への批判が強い。

だが、トランプ支持者から見れば、間違っているのはトランプ氏ではなく、ラテン系をはじめとする移民、さらに外国の政府や企業を優遇してきたこれまでの政策なのである。NATOなどの同盟がアメリカの過大な負担に支えられていると考えるアメリカ人も多い。マイノリティーの保護に傾いた政治を正し、外国に言うべきことを言うトランプ氏こそが大統領にふさわしいということになる。

フィリピンの新大統領となったロドリゴ・ドゥテルテ氏も、乱暴な言葉と政策によって知られる人である。ダバオ市長任期中は街頭で犯罪者を射殺するなど過激な政策を実施し、大統領選挙では就任後最初の半年で一〇万人の犯罪者を殺害すると公約した。実際、政権が発足してから二カ月余りのうちに、警官ばかりでなくビジランテと呼ばれる非公式の自警団によって、麻薬密売人と目された三〇〇〇人以上が射殺されたと伝えられている。フィリピンの法制度では裁判を受ける権利が保障されるのはもちろん死刑も禁止されているだけに、司法手続きを度外視した大規模な射殺は、控えめに見ても超法規的な措置である。

とはいえ、ドゥテルテ氏は現在でもフィリピン国民の支持を集めている。大統領就任の翌月、すでに超法規的射殺が始まった後の七月初めに行われた世論調査では、ドゥテルテ氏を信頼する国民が九一%という圧倒的多数に上っている(Pulse Asia)。

その背景には犯罪と暴力の絶えないフィリピンの現状がある。麻薬密売人と疑われて殺されかねない人から見れば、ドゥテルテ氏の強行策は悪夢だろうが、その疑いをかけられることのない多くの国民から見れば、ドゥテルテ氏の政策は人権侵害どころか、フィリピン国民に安全をもたらすための、遅きに失した措置にほかならない。ドゥテルテ氏の超法規的暴力がフィリピン国民から支持を集めていることは否定できないだろう。

国連脱退を辞さないと発言し、オバマ大統領をののしるなど、ドゥテルテ氏は外交においても波紋を呼んできた。中国との領土紛争を抱えるフィリピンがどうしてアメリカに強硬姿勢をとるのか不思議にも思われるだろうが、アメリカに強い姿勢で臨むドゥテルテ氏を支持するフィリピン国民は少なくない。植民地時代から今日に至るまでアメリカに虐げられてきたと感じるフィリピン国民は数多い。アメリカに屈しない指導者というイメージが国民の支持を集めるのである。

トランプ氏とドゥテルテ氏との間に違いもあるが、法と秩序のために手段を選ばない内政と外国に言うべきことを言う外交は共通している。その背後には、マイノリティー保護が国民の負担を伴い、法の支配を貫けば犯罪者を取り逃がしかねず、国際協力を進めるなら外国に利用され、支配さえされかねないという現実がある。

この現実に対してトランプ氏とドゥテルテ氏の示す「解決」はわかりやすい。しかし二人とも、自分の政策遂行を法の支配の外に置いている。そこには自分の政治権力が法に縛られているという自覚を見ることができない。

民主主義によって、民主主義の土台であるはずの法の支配が覆される。アメリカとフィリピンに見られる危機の中核は、そこにある。

（二〇一六年九月二一日）

反グローバリズムはなぜ起きたか

アメリカ大統領選挙で共和党候補トランプ氏の敗色が濃くなっている。選挙の情勢が厳しくなるほど、氏の主張は急進化した。遊説先では、グローバル経済とマスメディアと民主党が一体となって選挙に工作を加え、トランプ氏を負かそうとしている、これは不正な選挙だなどと述べている。

ほとんど被害妄想のような議論だが、トランプ氏を支持するアメリカの有権者が四割前後に上ることは無視できない。大統領選挙の結果はわからないとしても、トランプ氏を支持した人々は消えるわけではない。

トランプ氏は、世界各国の企業からアメリカの国内市場を防衛する必要を繰り返し訴え、いま各国でその承認が審議されている環太平洋経済連携協定（ＴＰＰ）ばかりでなく、既に締結されて久しい北米自由貿易協定（ＮＡＦＴＡ）にも反対している。このような保護貿易の主張は、アメリカ政治では伝統的に自由貿易を支持してきた共和党の候補としてはめずらしいといってよい。

トランプ氏だけではない。クリントン氏と民主党候補を争ったサンダース氏も貿易の規制を訴えた。イギリスでは、ＥＵからの離脱を求める国民投票の際にも自由貿易の規制と国内市場の保護が訴えられた。

なぜだろうか。なぜ自由貿易、さらにグローバリズムに反対する声が生まれたのだろうか。

かつて自由貿易はリベラリズムの中心であった。アダム・スミスにさかのぼるまでもなく、貿易の自由化は経済成長を牽引し、さらに戦争が生まれる可能性を引き下げる効果もあると考えられていた。大恐慌以後のブロック経済の拡大が第二次世界大戦を引き起こす原因の一つになったという認識が、大戦後に貿易自由化を進める根拠になった。

だが、どれほど経済全体の成長を促すとしても、自由貿易は犠牲を伴う。市場の自由化は国内における競争力のない経済部門を危機にさらし、雇用を奪い、経済格差を拡大する可能性があるからだ。第二次世界大戦後の諸国では、自由貿易という制度を受け入れながら、国内市場に対するさまざまな保護も行うという折衷的な政策がとられることになった。

この折衷を突き崩し、貿易自由化と規制緩和を進めたのが、イギリスのサッチャー政権、アメリカではレーガン政権であった。従来は市場保護に傾きがちであったアメリカ民主党とイギリス労働党も、ビル・クリントン政権とブレア政権の下で規制緩和と貿易自由化を推し進めた。党派の違いを乗り越え、自由貿易と規制緩和が共通する経済政策となったのである。政策としての自由貿易が拡大する背後には世界市場の拡大があった。米ソ冷戦終結後の世界では、先進工業国から新興経済圏への投資が進み、世界貿易が拡大を続けたからである。しかし、リーマン・ブラザーズ破綻に発する世界金融危機は、新興経済圏に打撃を加え、世界貿易の成長を妨げ、貿易自由化の前提を揺るがしてしまった。

貿易自由化が実際に経済成長を促すとき、それに反対する声は比較的少ない。他方、経済が停滞すれば、貿易を自由化するインセンティブは減り、経済停滞の原因をグローバリズムに求める議論が力を得ることになる。イギリス労働党で左派のコービン氏が党首に就任し、アメリカ民主党予備選挙においてサンダース氏がクリントン氏を脅かした背景には、貿易を自由化しても経済成長をさほど期待できないという世界経済の現状があった。

自由貿易の規制を求める声は、左派勢力ばかりでなく、あるいはそれ以上に、右派勢力にも広がった。イギリス保守党の右派から見れば、イギリス経済はＥＵの一員となることによって弱められているのであった。トランプ氏を支持するアメリカ国民にとって、ＮＡＦＴＡやＴＰＰは外国企業にアメリカを売り渡す協定にほかならなかった。かつては貿易自由化を支持してきた保守勢力のなかにグローバリズムに反対する勢力が生まれたのである。

私は保護貿易が合理的な政策であるとは思わない。すでにＥＵ離脱の決まったイギリスがポンドの下落に悩まされていることに見られるように、アメリカやイギリスが市場や貿易の規制に走るなら、世界貿易はもちろん、アメリカやイギリスの経済も打撃を受けるだろう。トランプ氏を支持するアメリカ国民は、自分の首を絞めていると評するほかはない。

だが、トランプ氏が落選したとしても、グローバリズムに反対する声は残る。経済停滞の下で左派と右派を横断して反グローバリズムが広がり、それがさらに経済の停滞を拡大する。そのような悪循環が、いま、始まろうとしている。

（二〇一六年一〇月一九日）

トランプ当選と世界

このたびアメリカ大統領に当選したドナルド・トランプ氏は、どのような政策を目指すのだろうか。

選挙のさなかにトランプ氏が表明した政策は、貿易における保護主義と、軍事外交における孤立主義である。TPPはもちろん、現行のNAFTAも退け、中国や日本の輸入品に高関税をかけると主張する。NATOも日米安保も見直すべきだとして、アメリカの同盟政策の改定を打ち出した。

保護貿易と孤立主義の主張はアメリカ対外政策を抜本的に変えるだけに、アメリカ内外の専門家は懸念を表明した。他方、沖縄の米軍基地撤退やTPP廃棄に期待を寄せる人もいる。

選挙の公約と現実の政策が違うことは珍しくない。では、政権の座についたトランプ大統領はどのような政策に取り組むだろうか。

まず、トランプ氏が同盟の見直しは求めても同盟を否定していない点に注意しなければならない。トランプ氏の要求は米軍駐留経費など同盟国の分担増加であり、同盟の見直しは同盟国が負担増に応じるように加える圧力だからである。

TPPやNAFTAの否定も、貿易協定の廃棄ではなく交易条件の変更、すなわちアメリカに不利と見える交易条件を打ち破ることが目的であると考えるべきだろう。TPPが廃棄された後も、貿易協定を拒むのではなく、アメリカにより有利となる新たな貿易協定が模索されることになる。

トランプ氏が大統領になったからといってアメリカが同盟を廃棄し、世界経済から離脱するわけではない。それでは、トランプ氏のアメリカは中道的かつ現実的な政策運営に向かうのか。私はそう考えない。アメリカが国際主義から離れてしまうからだ。

国際秩序を維持する上で必要となる条件が大国の自制である。どれほど軍事力と経済力で勝っていても、大国が自国の利益だけのために行動するならば、他国との衝突を避けることはできない。各国との協力を実現し、維持するためには自国の権力行使を抑制する必要がある。覇権国アメリカの自制は国際協調を実現するためには不可欠の条件であった。

東西冷戦のもとではアメリカだけでソ連に対抗することはできず、同盟国をとりこむためにアメリカは自制を強いられた。米ソ冷戦終結により欧米諸国の軍事力と経済力を背景としつつ民主主義と資本主義に基づく自由世界の構築が目指されたが、優位を過信したアメリカは自制を取り払ってイラク介入に踏み切ってしまう。その無残な結末に加え、中国・ロシアの欧米との競合が強まり、世界金融危機以後の世界経済が停滞するとともに、自由世界の団結は著しく弱まった。それでもオバマ政権の下で少なくとも八年間、アメリカ主導とはいえ狭義におけるアメリカの国益だけには走らない対外政策がとられてきた。

だがアメリカ国内には、国際主義のもとでアメリカは他国に利用されるばかりだという反発が生まれた。トランプ氏を大統領に選んだアメリカは、アフリカ系、ラテン系、アジア系、そして女性など、白人男性以外の人々を含む多様な社会ではなく、白人男性の主張と力をはっきりと表に出したアメリカであった。そのような立場を外交に反映したものが、国益のためには他国との協調を犠牲にすることも厭(いと)わない、アメリカ第一の対外政策である。

このような自国優位の政策は、ロシア、中国、それでいえばインドや日本などの現在の指導者も共有する姿勢であるだけに、これらの諸国は、たとえアメリカと利害の対立はあっても、トランプ氏のアメリカと交渉し、生き延びる準備を始めるだろう。だが、国際制度の弱体化は避けられない。

選挙戦で訴えた政策をそのまま実行するなら、イランとの核合意も、地球温暖化に関するパリ協定も破棄されてしまう。シリア難民の受け入れを拒むばかりでなく、現在アメリカ国内に居住する不法移民も強制退去を求められるだろう。国際制度の役割が後退するとともに、世界は自由世界の統合から国民国家が不寛容に競合する状況へと変化、あるいは退化し、その退化を受け入れようとしないEU諸国、特にドイツとアメリカのズレは拡大せざるを得ない。

アメリカがトランプ氏を大統領に選ぶことで、自由世界は指導者を失った。国際政治に指導者は要らないと考えるなら問題はない。だが、私たちは本当に権力闘争だけの国際政治を望んでいるのか。国際政治における制度や合意は要らないのか。トランプ氏のアメリカが突きつける問題は、そこにある。

（二〇一六年一一月一六日）

デモクラシーと外交

二〇一六年は、国際政治が動揺した一年だった。

イギリスでは国民投票でEUから離脱を求める声が多数を占め、キャメロン首相は辞任した。

ロシアは、西側諸国による経済制裁をはね返すかのようにウクライナ東部における事実上の進駐を保持しつつ、シリアで空爆を繰り返した。ロシアの支援の下で巻き返したアサド政権を中心とした勢力は、いまアレッポにおいて人道的災害と呼ぶべき殺戮を展開している。

東アジアの混乱も大きい。北朝鮮はミサイル実験を繰り返し、核実験も再開した。中国による南シナ海進出が続いていることはいうまでもない。

このような世界状況のなかで、ドナルド・トランプ氏がアメリカ大統領に当選した。トランプ政権の誕生によって、この不安定は安定に向かうだろうか。私はそう考えない。

まず、トランプ氏はかつてのレーガン大統領のように、選挙戦中は過剰なレトリックに頼っても当選した後は堅実な政策に転じるだろうか。レーガンは、大統領となる前に二期八年にわたってカリフォルニア州知事を務め、大統領就任後は共和党主流派とも安定した関係を築き、また知事時代も大統領時代も、部下に権限を委譲するのが巧みであった。だが、トランプ氏には公職に選ばれた経験がなく、今回の選挙戦からもわかるように権限を委ねることが不得手であり、またホワイトハウスと閣僚の人事を見る限り、共和党主流派の受け入れにも消極的である。トランプ氏にレーガンの再来を期待するのは希望的観測と呼ぶほかはない。

対外政策では中国に厳しい。台湾の蔡英文総統に電話をかけ、「ひとつの中国」政策に疑問を投げかけた。これを選挙戦の頃から中国の為替操作や対米貿易を批判してきた延長と見ることはできるし、中国に対する懸念は日本やオーストラリアなどアメリカの同盟国に共有されている。それでも、大統領就任前から貿易問題と台湾問題の両方で中国を牽制するのだから、これまでの米中関係の転換を辞さないトランプ氏の指向は明らかである。習近平国家主席と親交のある中国大使を任命するなど、強硬策ばかりではない。

半面、国務長官にロシアとの関係の深いエクソンモービル会長レックス・ティラーソン氏を任命したことに見られるように、ロシアへの接近が目立つ。クリミアを併合しウクライナに武力介入を行ったロシアにアメリカが接近すれば、ロシアを警戒するＮＡＴＯ諸国はもちろんアメリカ議会とも対立は避けられないだろう。

対中政策と対ロ政策に共通する特徴が、これまでの合意や慣行に縛られることなくアメリカ外交を見直すという姿勢である。それはまた、TPPから、さらにNAFTAからの離脱を求める姿勢、さらにNATOや日米安保などの同盟において同盟国の負担を増やそうとする姿勢と共通するものである。アメリカを再び偉大にするというかけ声の下で、トランプ氏はこれまでの国際合意や制度を新たな交渉の対象にしようとしている。

無政府状態と言われることの多い国際政治であるが、各国の間における公式の国際協定や非公式の国際合意も存在しており、それが国家間の対立をある程度予想のつく範囲のなかに押しとどめる役割を果たしてきた。同盟を定める安全保障条約も貿易に関する国際協定もその典型である。

一般に国際合意は、それが結ばれた時点において力で優位に立つ国家に有利な条件を提供することが多い。それだけに、中国やロシアのようなアメリカにキャッチアップを図ろうとする側がこれまでの国際協定や合意の見直しを求めるのはまだ理解しやすい。だがここでは、力で優位に立つアメリカのほうが従来の国際合意の見直しを求めているのである。

アメリカが国際合意や国際制度から離れてしまえば、国際関係の見通しは不透明となり、混乱が深まることは避けられない。もともと自由貿易も同盟もアメリカに有利、というよりアメリカにとって力の源泉とも呼ぶべき制度であった。同盟国の結束を弱めつつ中国に強硬姿勢をとり、同盟国の反対を押し切ってロシアに接近することは、世界各国はもちろんアメリカ自身にとっても賢明な選択ではない。

トランプ氏を選んだのはアメリカ国民であり、EU離脱を求めたのもイギリス国民であった。そして、アメリカ国民もイギリス国民も、自らの選択の犠牲となる可能性が高い。二〇一六年の政治は、デモクラシーと外交の残酷なパラドックスを示している。

（二〇一六年一二月二一日）

国連はなぜ失敗を繰り返すのか

現代世界で国際連合はどんな役割を担っているのか。その実情を伝える事件が、南スーダンへの国連の関わりである。

南スーダンは、長期にわたる南北の内戦の後、和平合意と住民投票を経て、二〇一一年にスーダンから独立し、国連とアフリカ連合（AU）にも加盟国として認められた。だが、独立後の南スーダンでは不安定が続く。南北国境でスーダン政府軍との戦闘が再開したばかりか、一三年のクーデター未遂事件後には南スーダン国内で内戦が勃発した。

国連は独立後の南スーダンに派遣団（UNMISS）を送って平和維持に当たり、一二年には日本の自衛隊も加わった。だが、内戦後に派遣団を増強したものの南スーダン情勢の悪化が続き、一般国民の殺害や少年兵の軍事動員も伝えられた。

一六年一二月、退任を控えた潘基文国連事務総長は、南スーダンでジェノサイド（集団殺害）が発生する危険を安全保障理事会に訴え、英仏両国の賛同を得たアメリカは南スーダンへの武器禁輸などを含む決議を求めるが、安保理は可決しなかった。棄権した諸国には中国、ロシア、日本のほか、アンゴラやセネガルなどのアフリカ諸国も入っていた。

日本では、南スーダン情勢は主として自衛隊派遣、ことに武器輸出三原則との関係を中心に議論されてきたが、ここには別の問題がある。これまでのところ、南スーダンの平和構築における国連の成果が乏しいのである。

東西冷戦の終結は、国連の役割を拡大する機会となるはずであった。冷戦下における国連平和維持活動とは米ソの関心が乏しい紛争に集中していた。冷戦の終わりによって安保理がそれまでよりも実効的に平和構築に取り組むことが期待された。

だが国連は、ルワンダの大量虐殺、さらにボスニアのスレブレニツァにおける虐殺を阻止することはできなかった。その苦い経験を踏まえ、カナダ政府のイニシアティブのもとで「保護する責任」という理念が打ち出される。一定の要件が満たされた場合、武力紛争のもとに置かれた文民を保護するため、国際社会による軍事介入を行うことが認められた。「保護する責任」が成果を上げたとはいえない。リビアに飛行禁止区域を定めた一一年三月の決議は「保護する責任」をもとに武力行使を認めた初めてのものだが、軍事介入によってカダフィ政権は倒されたものの、その後は武装勢力による戦闘が続き、多くの難民が生まれた。シリアの場合、アサド政権による虐殺、さらにＩＳＩＳ（いわゆる「イスラム国」）の暴力が広がりながら、国連が実効的な関与を行うことはできなかった。現在の南スーダン情勢は、平和構築の挫折の長い歴史のなかに位置づけられる。

それでは国連の介入をもっと強化すべきだろうか。南スーダンへの武器禁輸を決議すべきなのか。私は必ずしもそう考えない。

国連は大国の参加と協力によって機能する存在であり、それ自身は大きな力を持たない。まして、ウクライナ介入後のロシアが欧米諸国と対立を深めるなか、国連が役割を広げることは難しい。

また、「保護する責任」原則の正当性を認めたとしても、南スーダン、リビアやシリアのような戦闘地域において文民を保護するためには、相当規模の兵力が必要となる。国連加盟国がそのような兵力を派遣する意思を持たなければ平和構築を実現できない。誤解を恐れずにいえば、現在の国連にはその力はない。

国連の介入を実現可能な目標に絞ることが必要なのではないか。私は自衛隊も含め南スーダンへの派兵は必要であると考える。同時に、ジェノサイド防止を目的とする大規模な軍事介入は実現が難しく、それに失敗すれば国連の信用がさらに損なわれるとも考える。潘基文事務総長時代の国連はその失敗の繰り返しであった。

南スーダン武器禁輸決議に棄権した諸国は、政府側と反政府側との間に結ばれた和平合意がまだ放棄されていないことを、棄権する根拠のひとつとしていた。ここに見られるのは、武力によって粗暴な勢力を排除するのではなく、その土地の勢力の賛同を得ながら漸進的に平和構築を行うアプローチである。

粗暴な武装勢力の存在を前提とするのだからモラルに反するかも知れない。だが、動員可能な力の限られた国連にとって、過大な目標を掲げて失敗するよりも漸進的アプローチの方が現実的ではないのか。新たな事務総長アントニオ・グテーレス氏の下で国連が取り組むべき課題がここにある。

（二〇一七年一月一八日）

なぜ国民が権力の集中を受け入れるのか

デモクラシーには、いま、どんな意味があるのだろうか。

いまから一〇〇年前の世界において、議会制民主主義はごくわずかの国にしか存在しない制度だった。欧米世界に限ってみてもドイツ帝国やロシア帝国のような専制統治は珍しくなく、選挙が行われている場合でも選挙権には制約が加えられていた。欧米世界の外では植民地支配が広がっていた。デモクラシーが希望を込めて語られる裏には、デモクラシーとはほど遠い政治の現実があった。

それから一世紀を経た現代において、議会制民主主義はごく当たり前のように世界に見られる制度となった。もちろん、中国、ベトナム、そして北朝鮮のような共産党独裁も、またサウジアラビアのような伝統的専制支配もいまなお残っている。制度としての議会制民主主義が現実に国民の意思を反映していないのではないかと疑う声もあるだろう。それでも、複数の政党が争う普通選挙によって政治指導者を選び出す政治の仕組みが、欧米諸国はもちろんラテンアメリカ、南アジア、さらに東南アジアを含む東アジアへと広がったことは疑う余地がない。民主主義は見果てぬ夢から散文的な現実に変容した。

民主的に選ばれた指導者が、民主政治を擁護するとは限らない。ロシアでは、プーチン大統領の下で、政府を批判する政治家やマスメディアに対する厳しい圧迫が続けられた。トルコでは、二〇〇三年に首相に就任してから長期政権を続けるエルドアン氏の下で、反政府勢力やメディアに圧力が加えられ、ことに一六年のクーデター未遂事件以後は大量の検挙が繰り返されている。日本と並んでアジアでは民主政治の長い伝統を誇るインドでもモディ首相の下でNGOに対する弾圧が続き、フィリピンのドゥテルテ政権の下では麻薬犯罪者への射殺ばかりでなく、ジャーナリストへの迫害、時には暗殺さえ伝えられている。

選挙によって権力を手にしたヒトラーが独裁政権を生み出したように、民主政治が独裁に転換する危険は、これまでにも指摘されてきた。しかしいま私たちが目撃しているのは、国会が放火され民主政治が独裁政権に変わる危険ではない。ここに挙げたプーチン、エルドアン、モディ、ドゥテルテ、これらのどの指導者をとっても、選挙によって指導者に選ばれたばかりでなく、少なくとも過半数、多い場合は八〇%を超える国民の支持を集めている。特に民主政治を排除しなくても、国民の支持の下で政治的競合が排除され、政治権力が集中する可能性が生まれている。

なぜ国民が権力の集中を受け入れるのだろうか。その鍵は、社会を敵と味方に峻別する政治のあり方にある。国家の安全を脅かす敵国、あるいは国内に潜んで国民の安全を脅かす反政府勢力など、国家の内外から国民の安全を脅かす勢力に国民の目を向けさせ、そのような外敵と内敵との闘争によって政治権力を正当化する。恐怖によって国民の支持が動員されるのである。

このような構図は、これまでに述べたロシア、トルコ、インドやフィリピンに限ったものではない。そこまで顕著な形でないとはいえ、アメリカのトランプ政権でも、また日本の安倍政権でも、民主政治の下で、国民の支持を集めつつ行政権力に大幅な権限が委譲され、政治的競合が後退する過程を認めることができる。

この構図は、かつてナチスドイツの台頭を前にした知識人の議論に似たところがある。カール・シュミットの『政治的なものの概念』、あるいはエーリッヒ・フロムの『自由からの逃走』など、立場もアプローチも異なるとはいえ、友敵関係と恐怖の支配する政治のあり方に注目する点では共通する著作だった。

だが、大きな違いもある。大衆社会論は民主主義ではなく、全体主義の社会的起源を解明することが目的であった。いま私たちが直面するのは、全体主義に向かうことなく、制度としての議会制民主主義の枠を保ちながら、政治的競合や少数意見が排除される可能性である。

民主政治は国民の意思を政治に反映する政治の仕組みであり、国民の意思を政治に反映する第一の手段が選挙である。だが選挙によって権力を手にした政治指導者に過大な権力を委ねるなら、政治の多元性は失われ、権力に対する制限が弱まってしまう。民主政治の下で自由が失われるパラドックスがここにある。

多数者の意思が、多数の横暴であってはならない。デモクラシーが当たり前の制度となったからこそ、デモクラシーの下で自由な社会をどのように支えるのかが問われている。

(二〇一七年二月一五日)

国境を超える義務

国際関係におけるリベラリズムでは、国境の果たす役割を弱め、国境を相対化することが望ましいと考えられてきた。そこには、自由貿易を擁護し、国家による経済活動への介入に批判的な経済的リベラリズムと、市民社会の合意を国家による権力行使の前提とし、自由を保障する政治制度の拡大が国際平和にも寄与すると考える政治的リベラリズムという、二つの考え方の反映を認めることができる。国境を守るだけではいけない、各国は国境を超えて協力しなければならないという呼びかけの前提として国際協力への期待も読み込むことができるだろう。

だが、イギリスの国民投票ではＥＵ離脱を求める声が多数を占めた。アメリカでは、移民規制の強化とシリア難民の受け入れの中止を訴えたトランプ氏が大統領に当選した。ヨーロッパではシリアやリビアなどから難民を受け入れることに反対が強まり、移民規制を主張する政党がフランスをはじめとする各国で支持を拡大している。

このような現実を前にすると、世界各国は、国境を超えるどころか、国境を閉ざす試みをはじめたのではないかという思いに駆られてしまう。

そんなときに思い出すのが、二〇一五年に逝去したアメリカの政治学者、スタンリー・ホフマンのことだ。

ホフマンは、国際政治のなかで普遍的価値や倫理の実現を求めるリベラルであったが、同時に国際政治が権力関係によって支配される現実を熟知するリアリストでもあった。その代表的な著作『国境を超える義務』（最上敏樹氏による邦訳がある）では、世界各国が自国の利益ばかりを優先する国際政治のなかで、国境を横断した価値や倫理を実現することは可能なのかが議論されていた。

この本の原型となった連続講演は、人権外交を掲げるカーター政権が日ましに弱まるなかで行われた。まさに価値や倫理の追究が絵空事にしか映らない時代にあって、それでもなお国境を超える価値と制度の実現を追い求めるホフマンの粘り強い思考に、大学院生だった私は魅了された。

ホフマンの著作が刊行されてから、三六年になる。その間に東西冷戦は終結し、欧米諸国を世界の中核として、経済における資本主義と政治における民主主義が世界に拡大する自由世界が誕生したように見えた。そのなかでは、国家間の権力闘争と各国共通の価値とのバランスに腐心するホフマンの議論が古くさく映ることもあった。

冷戦終結とともに生まれた自由世界の幻想は、しかし、長続きはしなかった。確かに貿易の自由も資本移動に対する規制緩和も著しく進んだものの、それが持続的な経済成長をもたらすことはなかった。二〇〇八年の世界金融危機の後、新興経済圏の経済は停滞を続け、先進国では所得格差の拡大と中間層の緩やかな没落が始まる。貿易自由化や市場統合は産業の空洞化と雇用の喪失を生み出すのではないか。景気が低迷するなかで、経済グローバル化に対する反発が高まっていった。

移民や難民の受け入れへの批判も強まった。好況のもとでは、移民受け入れによって労働力を確保し、少子高齢化の影響を緩和することが期待できる。だが経済停滞のもとでは、もとからその土地に住む人々の雇用機会が、移民として移り住んだ人々によって奪われる可能性が生まれる。国内治安に対する不安が、移民と難民の受け入れをさらに困難なものにしてしまった。ヨーロッパ諸国やアメリカでテロ事件が相次ぐなか、移民や難民のなかにはテロリストが含まれている、移民や難民は国内社会から雇用ばかりでなく治安も奪ってしまうという声が高まっていった。

冷戦終結直後の欧米諸国に見られたような国際主義と多文化主義は、経済停滞のもとで起こった反グローバリズムと、それに追い打ちをかけるかのようなテロへの恐怖によって後退してしまった。

ここに見られるのは価値と規範を共有する各国が構成する自由世界の姿ではない。その代わりに見られるのは、各国が領土と国民を支配し、他国による干渉を排除するという、国民国家によって構成される世界のイメージである。イギリスの国民投票もアメリカの大統領選挙も、国境を超えることより国境を閉ざし守ることを優先する政治の流れのなかで理解することができる。

だが、価値と規範を共有する自由世界が幻想であるとすれば、国民国家に分裂した世界が均衡するという期待も幻想に過ぎない。各国が国境を超えて共有する責任をどのように組み立てることができるのか。三六年前にホフマンが掲げた問いを改めて考える必要があるだろう。

（二〇一七年三月一五日）

第七章

トランプ大統領と安倍首相の世界

トランプを支持するのは誰か

トランプ大統領の特技は、事実に反する発言をすることだ。

地球温暖化はアメリカの製造業の競争力を弱めるために中国のつくった観念だとか、同時多発テロ事件で世界貿易センタービルが崩れ落ちたとき、ハドソン川対岸で何千もの人々が歓声を上げたとか、あるいは大統領選挙でクリントン候補の票数が多いのは三〇〇万を超える不法移民がクリントン候補に投票したからだとか、どれも空想としか形容のしようがない。

発言が誤りだと指摘されても撤回せず、誤りを指摘するニューヨーク・タイムズやCNNなどの報道がフェイクニュース、いんちきニュースだと言い放つ。メディアによる情報操作の犠牲というわけだ。

確かに、全体としてみればアメリカのマスメディアがトランプ氏の批判に傾いてきたことは事実だろう。ハーバード大学のグループによれば、大統領就任後一〇〇日間、トランプ氏に批判的な報道が八〇%にのぼったという(https://shorensteincenter.org/news-coverage-donald-trumps-first-100-days/)。

では、誰がトランプ氏を信じるのだろう。

まず、有権者の考え方や好みによって、選ぶメディアが異なることに注意しなければならない。ピュー研究所の調査によれば、大統領選挙の情報源としてフォックス・ニュースを挙げた人は全体では一九%だが、トランプ支持者では四〇%にのぼる。クリントン支持者の場合はCNNが一八%、フォックスは三%に過ぎない（http://www.journalism.org/2017/01/18/trump-clinton-voters-divided-in-their-main-source-for-election-news/）。トランプ氏の支持者は、テレビで見るチャンネルが違うわけだ。

だが先のハーバードの調査は、フォックス・ニュースにおいてもトランプ氏に肯定的な報道は全体の四八%に過ぎなかったことを示している。テレビ局の選択だけではトランプ支持を理解できないのである。

やはりトランプ現象は、ソーシャルメディアを抜きにしては説明できないだろう。まず、情報の取捨選択が容易である。新聞から読みたいニュースだけを集めるのには手間がかかるが、自分の好みにあった「情報」だけを受け取り、好みに合わない情報を顧みないのはソーシャルメディアではむしろ一般的なあり方だ。

そして、既成のマスメディアと異なり、ソーシャルメディアでは情報の信憑性を検証する制度ができていない。フェイスブック、ツイッター、そしてウェブ上に新たに設けられたニュースサイトなどにおいては、客観的な報道と根拠のない噂話が同列に並んでしまう。

本当かどうかはわからないけれど、好きなニュースでいっぱいというメディアの空間である。
ここに現れている現象は、自分の好みにあった「情報」だけで囲まれた環境、いわばマイメディアとも呼ぶべき新たな情報空間の誕生である。かつては少数の供給元によって寡占状態となってきたメディア空間がいくつもの小さな情報空間に分解し、それぞれの小空間に参加する人々は、自分たちの立場、好み、あるいは偏見に合致する情報だけを共有することになる。インターネットでは出版やテレビ放送などのような費用がかからないため、大量の人々がその情報を共有することができる。

根拠のない発言を繰り返し、その虚偽をマスメディアに指摘されながらなおトランプ氏が相当数の国民から支持を保ってきた背景には、このような、マスメディアと異なる情報空間と、真偽不明の情報を共有することによって支えられる社会連帯があった。どれほど荒唐無稽なつくりごとであっても、それを信用し共有する人々がいる限り、マスメディアがその虚偽を暴いたところで状況は変わらない。

既にトランプ氏の化けの皮は剥がされようとしている。選挙戦のさなかから指摘されてきたロシア政府との接触はＦＢＩの捜査を受ける段階にまで達し、その捜査を妨げる目的から政治圧力を加えたこともマスメディアによって次々に暴露されている。それでも、トランプ氏への支持が衰えるとは限らない。マスメディアではない情報空間のなかに住み続けているからだ。

トランプ大統領を支えるのは、自分で自分を騙す有権者である。何が客観的な事実なのかをつかまえることは常に難しい。新聞やテレビが価値観や先入観によって情報を取捨選択し、歪めて伝えることもあるだろう。しかし、ここに見られるのは自分の好みに合致する情報だけを選び、好みに反する情報を排除する空間、敢えて言えば偏見の正当化と客観性の放棄に他ならない。事実から離れた政治、ポスト・トゥルースの政治の恐ろしさはここにある。


（二〇一七年五月二四日）

大統領の陰謀

トランプ大統領が追い詰められている。数ある理由のなかでもっとも深刻なのが、ＦＢＩの捜査を妨害している疑いである。

大統領選挙にロシア政府が介入した可能性は選挙戦中から指摘され、ＦＢＩの捜査も二〇一六年から始まっていた。一七年五月にコミーＦＢＩ長官が解任された後も特別検察官に任命されたマラー元FBI長官の下で捜査が続き、ロジャーズ国家安全保障局(NSA)局長など情報機関幹部が事情聴取に応じたと報道されている。

大統領本人がFBIの捜査対象に含まれているかどうかは判らないし、自分が長官の時は大統領は捜査対象ではなかったとコミーFBI前長官は述べている。だが、そのコミー氏も、自分に向けられた疑惑の「雲」を取り払うよう「希望する」と大統領が述べたと上院情報特別委員会において証言しており、トランプ氏が刑事司法に圧力を加えた疑いが強まっている。トランプ氏は自分への魔女狩りが行われているなどとソーシャルメディアのツイッターに相次いで書き込んでおり、かえって大統領への疑惑を強める結果を招いている。

政治専門サイトのリアルクリアポリティクスによると、トランプ大統領への不支持は過去一カ月平均で五五%弱に達している。この数字は一九七三年六月におけるニクソン大統領への不支持四五%より一〇ポイントも高い(http://historyinpieces.com/research/Nixon-approval-rati)。ウォーターゲート事件によって信用が落ちたとはいえ就任から五年を経過したニクソン大統領より、就任五カ月のトランプ氏への不支持が高いのである。

ここで思い出すのが、ウォーターゲート事件を描いた「大統領の陰謀」という映画だ。主人公は、ボブ・ウッドワードとカール・バーンスタインという、ワシントン・ポスト紙の二人の若手記者。ウォーターゲート・ビルの民主党本部に侵入した犯人が捕まり、その罪状認否を有力弁護士が担当したことに疑問を持った記者の取材によって、七二年アメリカ大統領選挙において大規模な不正工作が行われていることが判明する。まさにウォーターゲート事件そのものだが、脚本、演出、演技、撮影、音楽、すべてが絶品。アメリカ政治映画の最高峰だ。

すでに「トランプゲート」などと呼ぶ人がいるように、現在の事態はウォーターゲート事件に、そしてこの映画「大統領の陰謀」に重なって見えてくる。新聞やテレビの報道が大統領を追い詰めているからだが、それればかりではない。まず、ウッドワード記者の秘密情報源、ディープ・スロートはマーク・フェルトFBI副長官であったことが今ではわかっている。FBIの副長官が捜査情報をリークしていたわけだが、今回の「トランプゲート」についても情報源とされる匿名の政府関係者に情報機関が含まれていないとは考えにくい。

また、ニクソンを失脚に追い込んだのは、選挙工作よりも事件のもみ消し工作だった。七三年一〇月のいわゆる土曜夜の虐殺では、捜査を指揮するコックス特別検察官を解任すべくニクソン大統領が司法省に圧力をかけ、解任を拒んだ司法長官と副長官が辞任、コックスは司法長官代理に任命されたボークに解任される。強権的な方法は議会と世論の反発を招き、捜査を押さえこむどころか弾劾決議への道が開かれた。ニクソン大統領は捜査に圧力をかけることで自分の首を絞めたのである。

従来もトランプ氏についてアゼルバイジャンにおける高層ホテル建設をめぐるロシアの政商マグドフとの関係などが伝えられてきた（http://www.newyorker.com/magazine/2017/03/13/donald-trumps-worst-deal）。

特別検察官は政府に情報提供を求める権限を持ち、議会の特別委員会は証人喚問ができるだけに、マスメディアの報道よりも具体的に事態を解明することが可能となる。捜査が続けばトランプ氏の女婿クシュナー氏ばかりかトランプ氏本人も追い詰められるだろう。

他方、捜査を止めようと圧力を加えたならば状況はかえって悪化してしまう。既に、コミーFBI長官の解任は捜査中止に応じなかったためだと報道されているが、マラー特別検察官の解任のために司法省に圧力をかけたなら、ニクソン大統領のような末路が待っている。

弾劾裁判を議論するにはまだ早い。議会の両院を共和党が制していることも忘れてはならない。だが、トランプ氏が司法妨害に走れば、議会の支持は期待できない。映画「大統領の陰謀」の終わりのように、トランプ政権のエンドゲームが始まろうとしている。

（二〇一七年六月一一日）

軽くなったワシントン

トランプ政権が発足してから半年が経った。その間に明らかになったのは、トランプ大統領の下におけるアメリカが国外への影響力を失いつつあることである。

その一面は、アメリカ政府の自発的な行動の結果である。「アメリカ第一」を掲げるトランプ政権は、政権発足直後にＴＰＰから離脱し、二つの首脳会議、Ｇ８とＧ20においてアメリカ以外の諸国が反対を明示したにもかかわらず、環境保護に関するパリ協定からも離脱した。各国がアメリカを追い出そうとしたわけではないから、アメリカが意図的に退いたわけだ。

だが、アメリカが抜けた後にも国際的制度や機構は揺らいでいない。日本はＥＵと経済連携協定について大枠合意に達し、ＴＰＰについてはハノイでアメリカ抜きのＴＰＰ11実現を目指す閣僚会合が開かれた。パリ協定についても、アメリカを除くＧ８・Ｇ20諸国は支える方針で一致している。貿易でも環境保護でもアメリカの撤退はアメリカなき国際合意への道を開いたのである。アメリカ政府が、アメリカが国際協定から離脱すれば各国が動揺し、国際協定の再交渉に合意するのではないかと期待していたとすれば、その期待は裏切られた。

国内政治の動揺が、アメリカの対外的影響力をさらに押し下げている。トランプ政権はオバマ政権の下で実現した医療保障制度オバマケアに代わる新たな制度の実現を最優先課題としてきたが、その目的から作られたヘルスケア法案の審議はまだ続いており、上院が可決する可能性は少ない状況である。そして、このヘルスケア法案の審議を最優先したことから、トランプ政権の求める減税も、大規模な公共投資を求める予算案も議会を通過する公算は立っていない。共和党が上下両院の多数を占めているにもかかわらず、議会と政府の間にきしみが続いているのである。

スキャンダルも深まる一方だ。ロシア政府が大統領選挙に工作を加えたという疑惑については、トランプ氏の長男トランプ・ジュニアに加え、現在上級顧問としてホワイトハウスに加わっている女婿ジャレッド・クシュナー氏がロシア政府とつながりのある複数の人物との会合に加わっていたことが明らかとなった。ロシア政府による選挙工作をトランプ陣営が承知していた、もっと露骨にいえばロシア政府を使って大統領選挙に勝とうとしていたという疑いである。この件ではFBIの捜査も続いているだけに、政権に与える影響は少なくない。

政権のなかでは極右サイトのブライトバートを主宰したスティーブン・バノン首席戦略官やスピーチライターも務めるスティーブン・ミラー補佐官らがパリ協定離脱などアメリカ第一という立場を訴える一方、レックス・ティラーソン国務長官やクシュナー氏がより穏健な対外政策を求めるなど、政策対立も伝えられている。スキャンダルに加え、内部対立がトランプ政権を弱め、それがアメリカの対外的影響力をさらに引き下げる結果を招いている。

トランプ氏の前任者オバマ大統領は対外介入に慎重な姿勢を続け、混乱を続けるシリアなどでも地上軍の投入を避けてきた。力の行使に消極的なオバマ政権の姿勢に対し、オバマはアメリカを弱くしてしまったという批判が起こり、大統領選挙においてトランプ氏がクリントン元国務長官を破る一因となった。

そのトランプ氏の下でアメリカの影響力が弱まってきたのだから皮肉というほかはない。ＩＳＩＳ、いわゆる「イスラム国」の手からモスルを奪回しながら、イラクにおけるイランの影響力が拡大する結果となっている。中国を誘い込んで北朝鮮を圧迫する政策も効果はなく、逆にミサイル実験を続ける北朝鮮を前にして中国とロシアが共同でアメリカの北朝鮮政策の転換を求めるという事態となってしまった。オバマ政権の八年のどの時期をとっても、ここまでアメリカ外交の失態が続き、ワシントンの存在が軽くなった時代はなかったといっていい。

このままトランプのアメリカは地盤沈下を続けるのだろうか。

ティラーソン国務長官やマクマスター安全保障担当補佐官は対外的にもそれなりに信頼されているだけに、彼らが主導権を握るなら日本やＥＵなどとの関係にも展望が見えてくる。問題は、トランプ氏が政策遂行を専門家に任せようとしないことだ。この情勢が変わらない限り、つまりトランプ氏がトランプ氏であり続ける限り、アメリカの後退は続き、日本もＥ

Uも、アメリカ抜きの国際体制を作ることを強いられる。トランプ氏はアメリカを弱くした指導者として歴史の中で記憶されることになるだろう。

（二〇一七年七月一九日）

吉田茂とその時代

総選挙直前のコラム。この選挙の争点を議論すべきところだが、そもそもこの選挙の意味がわからない。

任期満了の解散ではない。北朝鮮についても税制についてもこれまでに日本政府のとってきた政策と異なる選択を問いかけるわけではない。新たな政策ではなく、現政権への信任を問う選挙、それもいま解散すれば勝てそうだから衆院を解散した選挙である。

新たに結成された希望の党もよくわからない。消費税引き上げの凍結や二〇三〇年までの原発をゼロとする公約を見ると現政権との違いはあるが、それらと並んで花粉症ゼロがスローガンに掲げられているのを見ると、どこまでこの政党が「一二のゼロ」にコミットしているのか心もとない。

各党の主張を見るなかで浮かび上がるのが、憲法への姿勢である。自民党は「憲法改正の原案を国会で提案・発議」、希望の党は「憲法九条をふくめ憲法改正論議をすすめる」としている。これに対し、立憲民主党は「安保法制を前提とした憲法九条の改悪に反対」し、共産党は「憲法九条にもとづく平和の外交戦略」を訴えている。公明党は「平和安全法制」を認める点で立憲民主党と異なるが、憲法九条一項二項を堅持するとする点においては自民・希望とやや違いがある。

国際政治や安全保障に詳しいという評価のある国会議員のなかには憲法改正を支持する人が多い。安保法制は、憲法の枠のなかで安保条約との整合性を求め、紛争地域における平和構築への貢献も可能とするはずのものであるが、その安保法制を支持した国会議員が、安保法制だけでは不十分だ、憲法改正が必要だと主張するのを聞いたこともある。

国際政治を専門とするひとりとして、私は国際関係において軍事力の果たす役割は存在すると考える。同盟と抑止、さらに平和構築を軍事力抜きに考えることはできない。

だが、憲法改正を求める政治家の主張は、平和主義の硬直を拒むあまり、軍事力の効果を過信しているのではないか。反撃を予告することで相手の行動をとどめる場面はあるだろうが、攻撃すると脅せば相手が引っ込むとは限らない。紛争における軍事力の効果を過大視すれば紛争を誘発し、拡大しかねないのである。

憲法九条を擁護する政治家は、およそ二種類に分かれている。第一は憲法九条に基づく平和国家をつくる視点から、国際関係における軍事的関与を否定し、日米同盟にも反対する立場、もう一つは国際関係において軍事力の果たす役割があることは認識し、日米同盟にも賛成するが、日本は軍事行動に慎重な政策を貫くべきであり、憲法はその慎重な姿勢を保つために重要な役割を果たしているという考えである。前者が憲法の理想を支持しているとすれば、後者は憲法が権力に加える制約に期待するものである。

憲法九条に基づく平和国家という構想は、戦争を否定する立場の表明であるとともに、国際紛争への関わりを拒む、事実上の孤立主義という性格もあわせ持っていた。安保条約を認める保守政治家も、軍備拡充より経済復興を優先する点においては、平和主義と完全に対立するわけではなかった。経済成長を優先する保守政党と護憲平和を求める野党諸党が織りなす戦後政治の構図がこうして生まれる。

吉田茂首相の時代に生まれたこの構図は現代世界と大きく異なる。憲法を根拠に国際紛争への関与を拒むことは現実的でも正当でもない。憲法九条に基づく平和国家という構想のなかに国際危機への対応を読み込むことは、私はできない。国際紛争から目をそらした日本だけの平和を求める意味も少ないだろう。だが、保守対革新という構図の背後に、保守革新を通じて軍事力の行使には慎重な態度を共有する基本的な了解があったことは無視してはならない。

そして、現在の国際関係ほど軍事力の行使に慎重な姿勢が必要な状況は少ない。北朝鮮でもイラクでも戦争の可能性がかつてなく高まり、危機を戦争にエスカレートさせない判断力が必要だからだ。合同軍事演習によって抑止力を誇示したところで北朝鮮の行動を変えることは難しく、西側から先制攻撃を加えるリスクも高い。軍事力の限界を知る人でなければ、この状況における外交を担うことはできない。

保守か革新か、安保か憲法かという伝統的な図式はすでに後退している。内部対立を抱えてきた民進党は希望の党と立憲民主党に割れてしまった。安全保障について希望・維新は自民と重なるかやや保守に位置している。それでは、軍事力の行使に慎重を求めるという戦後日本政治の基本合意を壊してよいのか。この選挙で問われているのはその点である。

（二〇一七年一〇月一八日）

アジアとヨーロッパの違い

アメリカのトランプ大統領によるアジア五カ国、日本、韓国、中国、ベトナム、フィリピンへの訪問が終わった。各国の首脳は、競い合うようにトランプ大統領を持ち上げ続けた。

日本では、大統領の長女でもあるイバンカ・トランプ補佐官の訪日に始まり、安倍総理と大統領とのゴルフなど、日米首脳の親睦(しんぼく)を見せつけるかのようなイベントが続いた。中国では習近平国家主席が故宮で夕食会を開催し、京劇を上演するという破格の特別待遇によってトランプ氏を迎えた。

歓待に応えるかのように、トランプ大統領もアジア諸国との協力を強調した。日本訪問では中国への牽制ともとられるようなインド太平洋という言葉を用い、北朝鮮に対抗する必要を訴えながら、中国訪問では総額約二八兆円の商談を成果として誇り、北朝鮮への経済制裁や対中貿易赤字について中国を圧迫するような表現は避けた。ベトナムで開催されたアジア太平洋経済協力会議（ＡＰＥＣ）においてアメリカ第一を訴えて不均衡な通商を認めないと述べたのは数少ない例外である。

これはヨーロッパとはかなり違う構図である。二〇一七年春にトランプ大統領がヨーロッパ諸国を訪問した際には、ＮＡＴＯ首脳会議ではＮＡＴＯ諸国の防衛支出が足りないと非難し、主要国首脳会議でも気候変動に関するパリ協定についてアメリカだけが認めようとしなかった。

アジアとヨーロッパとの違いをどう考えればよいのだろうか。ヨーロッパではＮＡＴＯ諸国の多くがロシアを主要な仮想敵とするのに対し、トランプ政権はプーチン大統領との協力を重視してきた。また、各国の協力によってリベラルな国際秩序を保とうとするEU諸国と違い、トランプ政権は米国第一の立場からパリ協定を含む国際合意からの脱却を辞さない姿勢を示した。すでにアメリカはパリ協定から離脱する一方、EU加盟国の一部はNATOと異なる防衛協力を進めようとしている。アメリカとヨーロッパ諸国との隔たりはこれまでになく明らかになった。

アジア諸国とアメリカとの間の距離も開いている。これまでトランプ大統領は、防衛負担が足りないと日本を始めとするアメリカの同盟国を非難し、また北朝鮮に圧力を加えるべきだとか人民元を為替操作して貿易を操っているなどと中国政府を非難してきたからだ。

だが、アジア諸国の選んだアプローチは、アメリカに対抗することではなく、懐柔であった。なにをするかわからない相手だからこそ、懐に飛び込むようにトランプ氏を歓待し、また歓待を受けたトランプ氏はアジア各国の支度した振り付けに従うかのように友好関係を演出したのである。トランプ政権とアジア諸国との蜜月がこうして生まれた。

アジア諸国がアメリカを懐柔するのは、そのアメリカの力を恐れているからだ。私たちはともすれば大国の覇権が各国の自立と対抗関係にあると思いがちになるが、それは正確ではない。大国による干渉を最低限度にとどめ、各国の自立が保持される限りにおいては、大国の覇権を受け入れることはむしろ合理的な行動と考えてよい。

トランプ政権のアメリカが米国第一の行動に訴えるならば、貿易秩序も同盟も著しく不安定になることは避けられない。自国がアメリカの対外政策の標的とならないように、日本、中国、さらにＡＳＥＡＮ諸国がトランプ政権に接近したのである。

では、アメリカとアジア諸国との蜜月は今後も続くのか。ここで注目されるのが、ＴＰＰだ。トランプ大統領を歓待する一方で、アメリカを除くＴＰＰ参加一一カ国は、新協定の原則合意にこぎつけた。アメリカがＴＰＰ交渉から脱退しても貿易秩序が不安定とならないよう、先手を打ったのである。首脳外交では対米関係の安定を確認しつつ、トランプ政権という予測不可能なリスクをヘッジするためにとられた行動である。

トランプ大統領を歓待するアジア諸国と、トランプ政権との距離を隠そうとしないヨーロッパ諸国との違いは大きいが、トランプ政権が国際関係に不安定をもたらしかねないという認識は両者に共通している。違いがあるとすれば、正面からアメリカとの違いに向き合うか、覇権を認めつつ面従腹背を続けるかの一点である。

覇権国としてのアメリカを神輿（みこし）のように担ぎながら、神輿の下では独自の連携を試みる。トランプ政権の下でアメリカの落日が始まろうとしている。

（二〇一七年一一月一五日）

中東で起きる新たな戦乱

国際関係では、いくつかの要因、変化が組み合わさることによって予想を超えた危機が生まれることがある。現在の中東情勢はその典型だろう。シリア内戦の終わり、サウジアラビアの新皇太子、そしてトランプ政権の誕生によって、これまでにも続いてきたイランとサウジアラビアの対立が大規模な戦乱に発展する可能性が生まれているからだ。

第一の要因はシリア内戦である。アサド政権と反政府勢力の戦闘が続くなか、アサド政権とつながるイランはシリアに派兵し、対抗するトルコとサウジアラビアは反政府武装勢力を支援したが、その内戦がロシアとイランの支援を受けたアサド政権の事実上の勝利として終わりに向かっている。イラク、イエメン、レバノン南部のヒズボラにシリアが加わることで、サウジアラビアの国境を取り巻くようにイランと連携する地域が生まれた。スンニ派・シーア派という宗派の別から見ても、またイランの軍事的脅威から見ても、サウジアラビアにとって受け入れることのできる状態ではない。

第二の要素がサウジアラビアの新皇太子ムハンマド・ビン・サルマン氏である。既に国防相のときにイエメンへの軍事侵攻を展開した。皇太子となった後の一七年六月にはアラブ首長国連邦などとともに、カタール政府に対する経済封鎖を行った。その公式の理由はカタールがテロ活動への財政支援を続けてきたというものであるが、カタールがイランに接近したことが背景にあることは間違いない。レバノンのハリリ首相をサウジに呼び寄せて首相辞任を宣言させ、サウジ国民にレバノンからの退去を命じている。皇太子は、ヒズボラの排除に応じようとしないハリリを退陣に追い込もうとしたのである。

第三の要素が米国のトランプ政権の外交政策だ。オバマ前大統領は核開発の疑われるイランに対して核開発を抑制すれば経済制裁を解除すると表明して核開発を制限する合意を結んだが、トランプ大統領はこのイラン核合意を厳しく批判するばかりか、そのイランを仮想敵国とするサウジアラビアに接近する。初の外遊先にサウジアラビアを選んで総額二〇〇〇億ドルを超える商談をまとめ、女婿のジャレッド・クシュナー上級顧問もサウジアラビア訪問を繰り返している。このようなトランプ政権のサウジアラビア接近がサルマン皇太子の強硬策を支えていることは否定できないだろう。

こうしてサウジアラビアはイエメンを攻め、カタールを経済封鎖し、レバノン政府を圧迫するという極度に強気の政策に訴えたが、成果は収めていない。空爆を繰り返して二年半、イエメンでは栄養失調ないし飢餓の危機が生まれていると報じられているが、武装勢力フーシは力を保っており、イラン製に類似したミサイルをサウジに発射した。経済封鎖後のカタールは、イランと断交するどころか食料輸入などで関係を強化している。サウジアラビアで辞意の表明を強いられたレバノンのハリリ首相は、帰国後辞意を撤回し、ヒズボラも含む国民連帯という政策を崩していない。サルマン皇太子の強硬姿勢はイランを封じ込めるどころか、湾岸諸国の分断を進め、サウジアラビアを孤立させる結果を招いており、サウジを支援するアメリカの中東地域における影響力も弱まってしまった。

シリア内戦の収束を受けて、サウジアラビアがイランへの対抗を強め、それをアメリカが支援する。これだけでも厳しい情勢であるが、それに加えて第四の要素としてイスラエルがある。

ネタニヤフ首相がイラン攻撃を企ててきたことはよく知られているが、イスラエル軍とアメリカ政府の反対のために実現することはなかった。だがトランプ大統領はイスラエルの首都はエルサレムであると述べ、米大使館をテルアビブからエルサレムに移転する意向を表明した。これはイスラエルによる東エルサレム併合を承認する動きとしてパレスチナを始めとするアラブ地域に反発を巻き起こしたが、スキャンダルのために支持率の低迷するネタニヤフ首相にとってトランプ政権の決定が追い風となった。

中東は、イランとサウジアラビア・イスラエルが対立し、域外の大国についてはイランをロシア、サウジをアメリカが支援する構図に収斂(しゅうれん)している。現在優勢に立つのはイラン・ロシアの側であるが、サウジもイスラエルも強硬姿勢を崩しておらず、その両国をアメリカが抑制する兆しは見えない。サウジアラビアとイランの対立を基軸として、シリア内戦が終わりつつある中東は、新たな、そしてさらに規模の大きな戦乱へと向かおうとしている。

(二〇一七年一二月二〇日)

単一民族国家という観念

ポピュリズムという言葉を耳にすることが増えた。イギリスの国民投票とアメリカ大統領選挙から後のことだ。EU離脱やドナルド・トランプ氏の当選は、大衆に迎合する政治の表れだという判断だろう。

大衆迎合的な政治に傾く可能性は民主主義が本来そのなかに含んでいるものだ。選挙で選ばれたことを根拠として裁判所や議会による権力の規制を抑え込む政府もいま始まったことではない。国民の選んだ代表が法による支配に縛られない権力を行使するという、民主政治のパラドックスである。

このパラドックスに関する限り、日本の安倍政権にも共通の特徴を見いだすことができる。日本では数少ない長期政権を維持するなかで、裁判所や国会による行政権に対する牽制は衰えた。その牽制を求める勢力は日本国憲法と立憲主義に基礎を置き、それ自体が野党勢力の分裂と安倍政権の安定を促すという構図である。

だが欧米と日本の政治には違いがある。移民・難民問題の比重が異なるのである。

いまイギリスやアメリカで指摘されるポピュリズムのもとで進められているのが、移民と難民への規制である。イギリスでEU離脱に賛成した国民のなかには移民の入国規制を求める声があった。大統領に立候補したときからドナルド・トランプ氏がメキシコとの間に壁をつくることを求めたことはよく知られているだろう。

英米両国だけではない。二〇一七年のフランス大統領選挙では移民排斥を訴える国民戦線の候補マリーヌ・ルペン氏が決選投票に進出し、ドイツ議会選挙でも右派政党「ドイツのための選択肢」が連邦議会で九四議席を獲得した。これら諸国では右派政党の単独政権は生まれていないが、東欧ではポーランドの「法と正義」党政権やハンガリーのオルバン政権などの右派政権が相次いで生まれ、時にはEUに正面から挑戦しつつ移民排斥を進めている。

移民問題が争点となる最大の理由は雇用であるが、移民に雇用を奪われる懸念は新しいものではない。だが、シリアやイラクなどからヨーロッパに難民が流入するとともに、難民受け入れによってテロが拡大する懸念が加わり、移民と難民をともに拒む政策への支持が広がっている。

移民国家であるアメリカはもちろん、英独仏などヨーロッパ諸国では数多くの移民が住み、多民族多宗教の共存の実現が政治課題となってきた。各国による違いが大きいとはいえ、難民の受け入れにも取り組んできたといっていい。

そのような地域で移民と難民の排斥を訴える勢力が台頭すれば、ただでさえ多数派の国民とマイノリティーの間に潜む対立が拡大しかねない。マイノリティーの一員であれば合法移民であっても迫害の対象となりかねないのだから、恐れるのは当然だろう。欧米地域におけるポピュリズムへの危機感は、民主政治のもとの強権拡大という危機に加え、あるいはそれ以上に、マイノリティーの排除に向かう政治に対する危惧に支えられている。

日本では、このような移民と難民の受け入れに対する懸念が共有されていない。従来、移民も難民も制約する政策をとってきたからである。

日本における植民地帝国の解体は独立運動を前にした撤退ではなく、敗戦による帝国解体というかたちで進んだ。日本は単一民族が居住する国家であるという観念もその過程で強まった。出生率の低下が経済に影響を与えた後も、移民規制は厳しく、難民受け入れはさらにわずかであった。

在日コリアンに対するヘイトスピーチのような深刻な問題を無視してはならないが、現在の日本は、すでに多くの移民が居住し、難民受け入れが争点となっている欧米諸国とはやはり状況が異なるというべきだろう。アメリカやヨーロッパでポピュリストが移民排斥を求めるとき、日本は移民も難民も少ない社会を既に実現していた。

移民が少ないから移民排斥も争点になりにくい。欧米におけるポピュリズムと日本との違いがここから生まれる。民族や宗教による迫害が伴う醜い言説や暴力と対比して、日本が難を逃れたと考える人もいるだろう。

私はそう思わない。同じ国家のなかで民族や宗教の異なる人々がどのように共存できるかという問いは、単一民族の国家という観念が先に立つとき、脇に追いやられてしまう。そこから生まれるのは日本国民の結束と優位を自明の前提とするナショナリズムの高揚である。

多文化の共存を試みた社会ではその枠組みが動揺し、「単一民族」の保持に努める社会が安定を誇る。多元社会に厳しい時代が始まっている。

（二〇一八年一月二四日）

第八章
何が終わり、何が変わったのか

短期の変化と長期の構造変動

国際政治では多くの事件が発生する。正確に言えば、事件が大きく報道されると報道自体が事件を大きく見せてしまう。だからこそ、伝えられる変化のなかから効果が短期にとどまるものと構造的な変動とを区別して考えなければならない。金正恩朝鮮労働党委員長とトランプ米大統領の首脳会談と米英仏三国によるシリア空爆はその一例である。

まず米朝首脳会談から考えてみよう。この会談はいつどこで開かれるのかも含めて細目は決まっていない。だが、トランプ大統領が会談の可能性を示唆して以来、北朝鮮に対するアメリカの武力攻撃も懸念された状況は、朝鮮半島に非核化を実現する機会が訪れたかのような報道に塗り替えられた。それでは何が変わったのだろう。何が新しいのだろう。

北朝鮮の態度が変わったとはいえない。北朝鮮政府はアメリカ政府との直接交渉を求めてきたから、米朝首脳会談に応じたことは北朝鮮の譲歩ではない。北朝鮮の非核化は在韓米軍の撤退と引き換えの提案であり、一方的な北朝鮮核戦力の廃絶ではない。西側の圧力によって北朝鮮が政策を変更したと考える根拠はいまのところ見当たらない。

新しいのは、韓国大統領に文在寅（ムンジェイン）が就任したことだ。李明博、朴槿恵（パククネ）両大統領と異なる左派政権として、文在寅は外交交渉による南北関係の打開を求めてきた。朝鮮半島情勢のイニシアティブは、いまソウルが握っている。

だが、米朝首脳会談に賛同したとはいえ、アメリカ政府が北朝鮮の求める朝鮮半島非核化を受け入れたとはまだいえない。北朝鮮が具体的な核廃棄を伴わない非核化の協議を求めた場合、アメリカは日本などの同盟国の批判を振り切って受け入れるか、交渉決裂に踏み切るかという決断を迫られる。後者になれば、朝鮮半島情勢は振り出しに戻ってしまう。現段階における北朝鮮情勢の変化は、思いのほか限られたものに過ぎない。

ではシリア空爆はどう考えるべきか。オバマ政権はいわゆる「イスラム国」をターゲットとする攻撃は行う一方、国内で虐殺を続けるアサド政権への武力行使は避けてきた。それに対し、トランプ政権はアサド政権の化学兵器使用に対し、二〇一七年に攻撃を加え、さらに今回は英仏両軍とともに化学兵器貯蔵施設などへの攻撃を行った。これだけを見ればアメリカのシリア政策が変わったように見える。

だが、今回のシリア攻撃は化学兵器に関連した標的に限られ、全面的な軍事介入とはほど遠い。マティス国防長官は、この攻撃が体制転換、つまり武力によるアサド政権の転覆を目的としていないことを明示した。そして、地上軍の派遣を伴う介入ではない限りシリア国内におけるアサド政権の蛮行を食い止めることは難しい。シリア情勢はアサド政権とそれを支援するロシア・イラン両国の優位が続いており、米英仏三国の介入がそれを変えたと考える根拠は乏しい。

では、何が変わったのか。それは中国・ロシア両国の求める地域覇権の模索によって、東西冷戦終結後に続いてきたアメリカの主導する国際秩序が動揺する状況である。地域覇権とは、その国家の近隣地域に欧米諸国の影響力が及ぶことを阻む試みであり、大国の競合によって国際関係が不安定となることは避けられない。

中国の台頭についてはすでに多くの分析が行われているので繰り返さない。むしろここではロシアのプーチン政権に注目したい。クリミア併合後に展開された西側諸国の経済制裁にもかかわらずウクライナとシリアへの介入を続け、イランばかりかトルコも引き寄せ、中東における欧米の影響力を削減することに成功した。

NATO諸国はロシアへの警戒を強めたが、トランプ政権はロシアとの対決を避けてきた。しかし、大統領選挙におけるロシアとの連携が疑われるなか、アメリカは諜報員と疑われるロシア外交官を国外追放し、さらに新たな経済制裁を提案するに至った。

東西冷戦が再開したとはまだいえない。経済制裁の追加提案を拒むなど、トランプ大統領は対ロ強硬策にいまなお抵抗している。それでも、アメリカを頂点とする「自由世界」の統合が失われ、大国の競合が深まったことは否定できない。

朝鮮半島情勢もシリア情勢も流動性を高めていることは疑いないが、長期的な転換の兆しはまだ見えない。それに対し、中ロ両国、ことにロシアとの緊張の拡大は国際政治の長期的変化を招く危険が大きい。短期の変化と長期的な構造変動を区別する視点が今ほど求められるときはない。

（二〇一八年四月一八日）

北朝鮮が残した恐るべき「教訓」

南北の分断と対立が続いた朝鮮半島に変化が訪れている。何が変わっているのか、どれほど大きな変化なのか、考えてみよう。

まず、北朝鮮とアメリカの関係に変化が見られる。ドナルド・トランプ米大統領と金正恩朝鮮労働党委員長の会談については開催日と場所が決まった。首脳会談に先だってポンペオ米国務長官は平壌（ピョンヤン）を訪れて金正恩委員長と面談し、北朝鮮に抑留されていた三名のアメリカ国民の解放も実現した。

さらに北朝鮮政府は米朝首脳会談よりも前の五月中に核兵器の実験場を廃棄する方針を発

表し、これを歓迎するとトランプ氏はツイッターを通して表明した。かつて金正恩をロケットマンと揶揄（やゆ）したことを考えるなら、北朝鮮に対するトランプの態度が変わったことは否定できないだろう。

それでは北朝鮮に対して、アメリカ、さらに韓国と日本の求めてきた朝鮮半島の非核化が実現に近づいたのか。私はそう考えない。

米朝会談に向けた変化を促しているのは文在寅政権である。北朝鮮に対する政策は韓国政治を左右に分断してきた。右派勢力が北朝鮮を韓国の安全に対する最大の脅威として捉え、その脅威に対抗するためにアメリカとの同盟を支持してきたとすれば、左派勢力はアメリカと北朝鮮の間における戦争状態の終結と朝鮮半島における南北の緊張緩和を求めてきた。

李明博、朴槿恵と二代続いた右派政権が倒れた後に大統領に就任した文在寅氏の外交政策は、金大中（キムデジュン）、盧武鉉（ノムヒョン）大統領のそれを継受したものといってよい。ただ、これまでの左派政権の場合、南北関係を改善しようとすれば対米関係が悪化するというジレンマを抱えてきた。かつての盧武鉉大統領の失敗を政権の中で経験した文在寅氏は米朝首脳会談に応じるようにトランプ氏の説得を試み、それに成功した。新しい点があるとすれば、この一点である。

文在寅氏の第一の目的は南北の対話であり、朝鮮半島における緊張の緩和である。同じ民族が南北に分断されてきた悲劇を顧みるなら正当な目的というほかはない。文在寅大統領と金正恩委員長との南北首脳会談の開催は、間違いなく歴史的な意義を持つものであった。

逆にいえば、北朝鮮の核兵器を廃棄することは文在寅政権の第一の課題ではない。朝鮮半島の非核化を訴えているとはいえ、米朝関係と南北関係の緊張緩和が優先されており、韓国政府は将来における核開発の放棄や国際査察の受け入れを求めているが、現在北朝鮮の保有する核兵器の廃棄を重視しているとはいえない。

北朝鮮が譲歩したわけではない。トランプ政権は北朝鮮に対する軍事的威嚇を繰り返し、中国も含む経済制裁の強化も実現したが、その圧力に屈して北朝鮮が米朝首脳会談に応じたとは言えない。米朝会談は以前から北朝鮮が求めてきたものであり、変化があるとすればアメリカの方だからである。核実験場の廃棄や抑留者の解放に応じたとはいえ、北朝鮮は現在保有する核兵器を廃棄するというコミットメントを示していない。当面は核保有を続けつつ経済制裁の解除を実現できるのならば、米朝関係の改善は北朝鮮にむしろ有利な選択である。

だがトランプ氏は、アメリカの圧力のために北朝鮮が変わったという認識をとっている。さらにその認識のもとに、アメリカ政府はイラン核合意からの撤退に踏み切った。かねてトランプ氏はイランとの合意は最悪のものだと口を極めて非難してきたから驚きはない。経済制裁の再開と強化に訴えることでイランの政策を変えることができるという判断がここにある。

その判断に根拠はない。もともとミサイル実験や核実験を繰り返してきた北朝鮮と異なり、イランは核合意を基本的に遵守してきた。それでもなおアメリカが核合意を放棄するならアメリカとの約束に意味はないことになり、イラン国内の対米強硬派を勢いづかせてしまう。イスラエルのネタニヤフ政権がイラン核合意に反対する先鋒にいるだけに、アメリカばかりでなくイスラエルとの緊張が激化することも避けられない。

南北間の信頼醸成と共生を求める韓国政府のイニシアティブは正当である。だが、北朝鮮の保有する核兵器を既成事実として認めることは核兵器の拡散を広げる結果を招く懸念が残る。軍事的威嚇と経済制裁によって北朝鮮が変わったという認識にも賛成できない。そのような認識は米朝接近の長期的な持続を揺るがすばかりでなく、核兵器さえ持てばアメリカが寄ってくるという恐るべき「教訓」を残し、中東情勢の混乱を深める結果に終わるだろう。

（二〇一八年五月一六日）

梯子を外された日本

米朝首脳会談後の朝鮮半島で戦争が起こる可能性は当面遠のいた。では世界は平和に向かうのか。私はそう考えない。トランプ政権の目的は朝鮮半島の和平よりもアメリカの負担軽減に向けられているからである。

首脳会談後の共同声明では朝鮮半島の非核化について北朝鮮側のとる具体的措置には触れない一方、会談後の記者会見においてトランプ氏は米韓合同軍事演習を行わない方針を発表し、その根拠に演習がアメリカに与える負担を指摘した。北朝鮮との関係改善を核廃棄より優先することによって、短期的には核保有国として北朝鮮を認める危険を冒したのである。

北朝鮮との関係改善と異なり、友好国とアメリカの関係は厳しい。主要七カ国首脳会議では、アメリカがEU、カナダ、日本などに課した鉄鋼・アルミ製品への関税について対立が続き、トランプ氏が共同声明への支持を撤回する事態に発展した。

この二つの事件、サミットにおけるトランプ氏の行動と米朝首脳会談には、同盟と自由貿易からアメリカが離れてゆくというつながりがある。安全保障における同盟と経済における自由貿易は、アメリカ対外政策の重心だった。どちらもアメリカにとって有利であるが、アメリカの友好国も同盟と貿易体制を自国の利益となるよう利用してきた。アメリカの主導する国際秩序とは、アメリカが同盟と自由貿易を主導し他国がそれを支えることで成り立ってきた。

しかしアメリカ国内には、同盟と自由貿易を支えるためにアメリカが過大な負担を強いられているという批判があった。大統領選挙の過程でトランプ氏が繰り返したのもその批判である。だからこそトランプ氏が大統領に就任すると欧州諸国との緊張が生まれた。アメリカが同盟と自由貿易から離れては困るからだ。

ドイツなどと異なり、日本の安倍政権はトランプ氏の懐に飛び込むような接近を図った。だが、トランプ氏との親交が日本の望む政策を導いたとはいえない。トランプ氏は政権発足直後にTPPから離脱し、鉄鋼・アルミ製品の関税を中国、EUやカナダばかりでなく日本にも課した。北朝鮮に対しては、安倍政権は最大限の圧力を加えるというアメリカの強硬策を強く支持し、アメリカの北朝鮮政策が変わることによって梯子(はしご)を外された格好となった。拉致問題についてトランプ氏が首脳会談で言及したとしても、北朝鮮から譲歩と呼べるものは示されていない。どれほどトランプ氏に接近してもアメリカの同盟と自由貿易への関与を支えることはできなかった。

威嚇を本質とするだけに同盟は平和を保障しない。だが同盟には覇権国の権力を制度のなかにとどめ、国際関係の安定を図る役割もある。同盟関与からアメリカが離れ、貿易政策で各国との対立に向かうなら、各国が単独行動に走り、国際関係を不安定とする危険が生まれる。トランプ・ショックだ。

かつてニクソン大統領は、米中接近とドルの金兌換停止という二つのショックによって日本外交に打撃を与えた。ニクソン大統領の政策はベトナム戦争が膠着する一方で経済が逼迫した状況への対応であるが、米中接近の裏側がニクソン・ドクトリン、つまりアメリカによるアジア防衛への関与の軽減だったことを考えるなら、トランプ・ショックとニクソン・ショックには共通する面もある。

トランプ政権が中国を牽制する手段としての同盟から離れたとはいえない。当面日本政府は同盟と自由貿易へのコミットメントを維持するようにアメリカ政府に求めるだろう。だが、米韓演習中止などの政策を見る限り、その試みが成功する保証はない。

ではどうすべきか。いま必要なのはアメリカにひたすら寄り添うことでも、共同演習などアメリカの後退が平和を生むと期待することでも、自主防衛に走ることでもない。求められるのは、国際秩序がさらに壊れないように下支えする国際協力の模索である。

ニクソン・ショック後の日本は、東南アジア諸国との連携を強化し、アメリカの懸念を押し切って日中国交正常化に踏み切った。経済外交と多国間協調によって覇権国の後退に臨んだのである。いま、トランプ・ショックが野火のように燃え広がるなか、日本はEU諸国やオーストラリア、さらに可能な限りで韓国との連携を強めつつ、アメリカが揺れ動いても安全保障と自由貿易の土台が壊れない多国間協調を保持しなければならない。

その展望は暗い。だがトランプ氏に倣うかのように各国が単独行動に走るなら、国際秩序の解体はさらに進んでしまうだろう。

（二〇一八年六月二〇日）

法の支配が弱まるとき

いま、あるいらだちとともにこの文章を書いている。政治権力の担い手が普通選挙によって選ばれながら、その政治権力が国民の手から離れてしまったのではないか、といういらだちである。

民主主義が実現していないから、ではない。もとより民主主義とは国民が政治権力の担い手であるという理念のことであり、公正な普通選挙による政治権力者の選任は、その理念を活かすうえで最も適切な制度と考えられている。そこに異論はない。

さらに民主主義はただの理念ではなく、世界各国の多くにおいて現実の政治制度となった。中国、北朝鮮、あるいはサウジアラビアなどのように普通選挙によらない政治権力が現代世界になお残されているが、南北アメリカ、EU加盟国、あるいは日本や韓国など数多くの諸国において、普通選挙で権力者を選ぶことはすでに政治の日常となっている。

だが、問題はここから始まる。選挙によって選ばれた政治権力をどのように制限することができるかという課題が残されるからである。

仮に、普通選挙で選ばれたという事実を基礎として政治権力のすべてを権力者に委ねてしまえばどうなるだろう。その権力者は議会、裁判所、あるいはマスメディアによる政治権力に対する規制を弱めるかもしれない。権力への規制すべてを排除する可能性さえ無視できない。民主主義が独裁的な政治権力を生み出してしまうというパラドックスである。

もとより独裁は民主主義の反対概念ではない。独裁の反対とは民主主義ではなく、自由主義、すなわち政治権力を法によって制限するという観念もしくは制度である。中世末期ヨーロッパにおける国王と貴族の闘争という起源を考えればわかるように、自由主義は国民一般の政治参加とは必然的な結びつきを持たない。法の支配とか三権分立は民主主義ではなく、自由主義の制度的表現である。

もちろん自由主義と民主主義が矛盾するとは限らない。だがここで民主的に選ばれた代表者がその権力を制限する者を排除した場合、民主主義ではあっても自由主義は損なわれた統治が生まれる可能性がある。これが自由主義の失われた民主主義、イリベラル・デモクラシーの問題である。

いま世界を見渡せば、イリベラル・デモクラシーの拡大から目を背けることはできないだろう。アメリカのドナルド・トランプ大統領はロシアによる大統領選挙への干渉の捜査に当たるロバート・マラー特別検察官や、ＦＢＩに対する非難を繰り返し、トランプ政権に批判的な報道を行うマスメディアについてはその報道機関の名前を挙げて虚偽報道、フェイクニュースと呼び捨てている。

アメリカだけではない。通算四期目を迎えたロシアのウラジーミル・プーチン政権の下で、裁判所や議会による権力制限、あるいは政府に反対する報道が厳しく抑え込まれている。これにトルコ、ハンガリー、フィリピン、あるいはインドなどを並べるなら、普通選挙によって生まれた政権が政治権力への規制を阻む政治体制の長いリストを見ることができる。これらの体制は普通選挙に基づいているという意味においては専制支配ではないが、行政権力が集中し、法の支配が弱まった点においては専制支配との違いがごく限られたものとなってしまった。

日本も例外ではない。選挙制度がほんとうに一人一票を実現しているのかについて疑問が残るとしても、総選挙の結果として自民党政権が生まれたことは否定できない。しかし、法の支配の根幹と言うべき憲法の改正、それも個別の条文ばかりでなく日本国憲法の正統性が争われる状況は、自由主義の後退と見なされても仕方ないだろう。

自由主義の原則に従う限り、選挙によって選ばれた権力であってもその権力は法によって縛られなければならない。他方、選挙によって選ばれた指導者が、国民から権力を委託されたことを根拠として自分の持つ権力への制限を排除する可能性は常に存在する。民主主義の名の下で自由主義が失われる危険がここにある。

私は民主主義を衆愚政治として否定することには賛成できない。国民の政治参加は政治権力の正統性の基礎だからだ。同時に、普通選挙だけによって政治権力の正統性を認めることは、政治社会における法による支配を退ける結果に終わるとも考える。それは民主主義の名の下において、力のあるものには逆らうことができないという、まさに専制支配と選ぶところのない統治を広げる結果をもたらすことになるだろう。

（二〇一八年八月一五日）

何が終わり、何が変わったのか

留学生がほとんどを占める授業で、冷戦は終わったのかと質問された。米中・米ロの緊張する現在から振り返ると、東西冷戦が終わったようには見えないというのである。

私は冷戦終結が何を指しているのか、一九八〇年代から九〇年代初めの国際政治の展開を中心として説明したが、すっきりしなかった。何が終わり、何が変わったのか、前より見えなくなった恐れを感じたからだ。

変わったことはたくさんある。ベルリンの壁は倒され、東西に分かれたドイツは統一を達成し、ヨーロッパに関する限りでは自由主義陣営と共産主義陣営の分断が克服された。米ソ両国の核弾頭は大幅に削減され、核兵器廃絶にはほど遠いとはいえ両国の対立が核戦争に発展する懸念は減った。無視できない変化だろう。

変わらなかったことも多い。まず、地域が限られている。冷戦終結とはなによりも旧ソ連とその衛星国における共産主義体制の崩壊であり、ヨーロッパの外にもたらした影響は必ずしも大きなものではない。アジアでは北朝鮮はもちろん中国とベトナムでも共産主義体制が続いている。これが中東地域の場合、冷戦のもとにおいてさえ、地域政治情勢の中で東西対立によって捉えることのできる国際関係は多様な対立の一部に過ぎなかった。大きな変化には違いないが、冷戦終結が国際政治のすべてを変えたわけではない。

そしてもちろん、冷戦終結時と現在の世界は違う。中国の軍事的・経済的台頭とともに西側諸国との緊張が高まり、米中貿易戦争の先は見えない。グルジア（当時）紛争とクリミア併合以後、ロシアと欧米の対立が明確となり、冷戦という形容を用いる人も現れた。とはいえ、国際政治において競合と対立が避けられない以上、欧米と中ロの関係が変わったことについてもそこまでの驚きはない。問題は、時代を超えても逆戻りしない変化が何か、それがはっきりしなくなってきたことである。

一九八九年八月一九日、ハンガリーのショプロンに、東ドイツ（当時）の国民が集まりはじめた。すでに関係改善の進んだハンガリーとオーストリアとの国境開放を利用して東ドイツから越境しようという企てである。この、汎（はん）ヨーロッパピクニック計画と呼ばれた人の移動は、ショプロンばかりでなくハンガリー各地への東ドイツからの人の移動を招き、ベルリンの壁、さらに東欧における共産主義体制崩壊に至る変動の端緒のひとつとなった。冷戦終結は各国政府による緊張緩和ばかりでなく、越境という形による人民の意思表示によって進められたといってもいいだろう。

冷戦終結後のハンガリーはEUに加入した。だがいま、オルバン首相の下で、セルビアとの国境に壁を築くなどの措置を伴う移民規制が進められ、そのような人の移動の規制、さらに司法権の独立の制限などがEUの理念に反するとの理由から、欧州議会はハンガリー制裁手続き開始を決定した。東西を越えた人の移動を実現したハンガリーが、国境を越えた人の移動を規制する先頭に立っている。

ハンガリーだけではない。イギリスのEU離脱は、一〇月のEUサミットまでにEU諸国との協定が結ばれる可能性が遠のき、協定なしの離脱、ハード・ブレグジットに向かいつつあるが、このEU離脱を決めた国民投票の背景にも難民と移民への反発があった。スウェーデンでは九月の総選挙において右派政党スウェーデン民主党が一八%の得票を獲得した。フランス、オーストリア、オランダ、デンマーク、さらにドイツにおいても、移民排斥政党が力を伸ばしている。

さらに注意すべきは、右派政党が政権を掌握する事例が生まれていることだ。イタリアでは、五つ星運動と連合を組んで政権与党となった同盟（旧北部同盟）の党首マッテオ・サルビーニ（副首相・内相）が難民・移民の上陸を拒んでいる。サルビーニ氏の掲げる難民・移民の排斥は、EUの掲げる人の移動の自由と真っ向からぶつかっている。

冷戦終結も国際政治の歴史における時期の一つに過ぎない以上、それが変わることは避けられないのだろう。それでもヨーロッパにおける地域統合は、民主主義と市場経済を共有する諸国によって実現された、後戻りすることのない政治的成果となるはずだった。そのヨーロッパ諸国は今、アメリカにおけるトランプ政権と競い合うように、自国の利益のためには地域協力を後回しにする体制への転換を進めている。分断された世界の克服を先頭に立って進めたヨーロッパは、分解する世界の先頭に立とうとしている。

（二〇一八年九月一九日）

民主主義の後退

気がついたら、民主主義が後退していた。

まず、プーチン政権の下のロシアでは、大統領選挙で選ばれるという外形こそ保っているものの、立法府による行政権力の統制が弱まり、司法の独立も損なわれた。政府の批判は弾圧され、ジャーナリストが暗殺された疑いも生まれている。ロシアの議会制民主主義は形骸化した。

エルドアン大統領の下のトルコでも、やはり大統領選挙や議会選挙が行われているとはいえ、憲法改正によって大統領に権力が集中し、立法と司法の役割は低下した。ロシアと同様にトルコでも、民主政治は形だけのものとなった。

民主化が後退する一方で、権威主義体制における社会統制は強化された。中国では長期拘禁が繰り返され、中国出身の国際刑事警察機構（ＩＣＰＯ）前総裁孟宏偉は行方不明となったまま国家監察機関の取り調べを受けていると伝えられている。新皇太子の下で専制支配が強まったサウジアラビアでは、現体制に批判的な報道を続けたジャマル・カショギはイスタンブールのサウジ総領事館に入ったまま行方不明となり、総領事館のなかで殺害された疑いが持たれている。

スタンフォード大学のラリー・ダイアモンド教授がその著書『民主主義の精神』において民主主義が世界的に後退していると指摘したのは二〇〇八年のことだった。この指摘を受けて英「エコノミスト」誌は民主化指標を毎年発表してきたが、二〇一七年のデータも含めた最新版でも民主主義の後退を指摘している（二〇一八年一月三一日付）。指標の選択やデータについて議論はあるだろうし、民主主義かどうかという判断には価値観が入り込む危険がつきまとうが、それでも世界的な民主主義の後退が既に定着したことは間違いがなさそうだ。かつてサミュエル・ハンチントンが指摘した民主化の「第三の波」は遠い過去のものとなってしまった。

さらに、民主化の追求は犠牲を伴うことがある。もちろん民主主義にはそれ自体に普遍的な価値があり、一九八六年のマルコス政権崩壊や一九八九年の東欧諸革命など武器を持たない国民が立ち上がって独裁政権を倒す姿には胸を揺さぶられる。だが、二〇一一年のアラブの春がもたらしたのは民主主義ではなく、リビアやシリアにおける苛烈な武力弾圧と戦争、あるいはエジプトにおけるような権威主義体制への回帰であった。現在のロシア、トルコ、中国、あるいはサウジアラビアの権力に対して一般国民が立ち向かうことがどれほど厳しい

と権威主義体制の安定という国際政治の動向には懸念を持たざるを得ない。

それは民主主義が法の支配と国際関係の安定の基礎にあるからだ。どれほど多様であっても民主主義は政治権力の正統性の基礎であり、どれほど紛争を伴ったとしても民主主義を共有する諸国は国際体制のなかにおける紛争解決を模索してきたのである。

権威主義体制が優位となった世界では、そのような正統性も国際体制の安定も期待することはできない。権力闘争と力の均衡の支配する古風な国際政治の復活が、つい目の前に迫っている。


（二〇一八年一〇月一七日）

「新しい冷戦」という妖怪

「新しい冷戦」という妖怪が徘徊（はいかい）している。

一一月から一二月にかけて韓国、デンマーク、シンガポールなどで開催された国際会議に出席したが、どの会合でも共通して関心を集めたのが米中関係の緊張である。さらにどの会議でも、自分は賛成ではないがという前置きをつけた上で、現在の国際情勢を新しい冷戦と呼ぶ分析が広がっているとの指摘が繰り返された。

自分は賛成ではないという逃げを打ちつつ学者が同じ言葉を口にするときには用心が必要だ。そうあってほしくないと思いながらそうかも知れないという恐れを抱いてその言葉を使っているからである。ではいま、世界は新しい冷戦に向かっているのだろうか。

米ソ冷戦との違いを挙げることは難しくない。まず、世界がアメリカと中国の勢力圏に分割されたとは言えない。ソ連が東欧地域を勢力圏に組み込み、さらにアゼルバイジャンや中国・朝鮮半島などに勢力を拡大することが懸念された冷戦初期と現在との違いは明らかだろう。また、米中、あるいは米ロの間に対立が芽生えているとはいえ、外交交渉の機会は存在しており、軍事力による封じ込めだけが政策の手段となっているわけではない。何よりも、どこでどのような戦争が発生し、それが米中ないし米ロの直接の戦争にエスカレートするのか、戦争の蓋然(がいぜん)性が懸念される地域が特定されているとは言えない。

新しい冷戦という言葉は、かつての冷戦が再現したという分析ではなく、米中両国の対立が継続し、拡大することへの懸念の表れだ。実際、米中両国間における貿易紛争は決着する展望がまだ見えない。米中対立のためにアジア太平洋経済協力会議（APEC）は首脳宣言を採択できなかった。その後アルゼンチンで開催された二〇カ国・地域（G20）首脳会議に合わせて米中首脳会談が開かれ、追加関税措置については当面の猶予が合意された。だが、細目について米中で齟齬が見られたばかりか、中国の大手通信会社ファーウェイの孟晩舟副会長がカナダで逮捕されたために米中関係打開の可能性は遠のいたかに見える。

ファーウェイに関する紛争は米中対立がサイバーテクノロジーにおける経済紛争に波及した表れである。サイバーテクノロジーについては技術情報の流出や個人情報の漏洩などを含み、また次世代通信規格5Gをめぐる競争に結びついているため、軍事的対立と連動する懸念が高い。これまでの中国の貿易黒字や対外投資規制、あるいは知的所有権の運用などに関する紛争は、中国に対して国際的な合意の遵守を求めてはいても、中国の国家的利益を害するものではなかった。だが、サイバーテクノロジーはより直接的な国益の衝突とつながりやすい。米中経済紛争は妥協の困難な領域に波及した。

アメリカが金融情報をもとに中国を圧迫していることにも注意しなければならない。すでにイラン制裁の過程において、アメリカは財務省外国資産管理室（OFAC）を通じて各国金融機関に規制を加え、金融取引の情報を獲得してきた。今回の孟副会長逮捕のもととなった情報はイギリスの金融大手HSBCから提供されたと報道されているが、これもOFAC規制と結びついた展開といっていい。世界各国の大手金融機関から得た情報をもとにして中国に圧力をかけているのである。これは関税引き上げの競争などとは次元の異なる経済的手段を用いた強制外交であり、米中対立を加速する選択である。

もっとも、米中の対立が軍事紛争に発展するには、さらにいくつかのステップが必要だろう。南シナ海などにおける領土問題、あるいは一帯一路政策と連動したスリランカやミャンマーへの勢力拡大は大きな懸念を呼び起こしているが、大規模な軍事紛争にエスカレートする危険はまだ乏しい。

警戒すべき地域は二つ、北朝鮮と台湾である。米朝会談以後も北朝鮮の非核化は進んでいないが、米朝会談の成功を唱えてきたトランプ政権が態度を一変し、非核化が遅れた理由に中国の圧力を掲げる可能性がある。台湾の統一地方選挙で与党民進党が大敗を喫した背景には共産党政権が台湾に加えた圧力があるが、二〇二〇年の次期総統選挙に向けてこのような圧力が加えられた場合、台湾問題が米中関係の争点に浮上する可能性がある。だが、これらの展開はいずれも避けることのできない事態ではない。

先走ってはいけない。国民に弾圧を加えウイグル族などに迫害を繰り返す中国は西側諸国と異なる体制であるが、体制が異なるからといって戦争が必要になるわけではない、新たな冷戦の到来は、まだ不可避ではない。

（二〇一八年一二月一九日）

信頼されるための選択

私の名前、帰一（きいち）は、石橋湛山とともに東洋経済新報社で活躍した遠縁の親戚、三浦銕太郎（てつたろう）につけられたものだ。東西対立が終わり新しい時代が生まれると考えた老ジャーナリストは、その夢を赤ん坊の名前にこめたらしい。三浦銕太郎は少し先走りしたのだろう。私が生まれてから冷戦が終わるまで三〇年以上が必要だった。そしてベルリンの壁が倒されてから三〇年、東西の分断を超えて世界がひとつになるという夢が後退している。

いま国際政治で私たちが直面するのは、二〇一六年に起こったできごと、すなわちEU離脱を定めたイギリス国民投票と、アメリカ大統領選挙におけるトランプ氏の当選という、予想を裏切る二つの事件の影響である。それから二年余り、民主主義と資本主義という政治と経済の制度を共有する世界が統合に向かうという展望は、大きく後退した。砂を噛む思いだ。

そのなかで、日本は特異な位置にあるように見える。コリアンに対する醜いヘイトスピーチを例外とすれば、ヨーロッパ諸国を席巻する反移民・反難民の政治は日本では限られた現象だ。ポピュリズムと既成政党の対決も起こっていない。世界的規模でリベラリズムが後退し政治秩序が動揺するなかで、日本の安定は例外的な存在だ。

日本の安定は安倍政権の安定と重なって見える。バブル経済破綻後の長期不況と、ねじれ国会のもとで毎年のように首相が代わる政治情勢と比較するなら、経済が安定を取り戻し、二〇一二年以来同じ首相が政権を担う状況はそれだけで大きな価値がある。さらに、多くの海外歴訪によって国際政治における日本の存在を示すことができた。日本の首相がこれほど国際的に認知されたのは小泉首相以来である。

だが、私は、安倍政権が外交で成功しているとは考えない。安倍首相の目指す三つの目標、すなわち日米同盟の強化による中国への牽制、北朝鮮に拉致された被害者の一日も早い帰国、そして日ソ共同宣言以来残されてきた日ロ平和条約交渉のどれもが成果を上げていないからだ。

日米関係については安倍首相がトランプ大統領との信頼関係を獲得したことも、アメリカの対中警戒が高まったことも間違いない。だがトランプ政権の対中政策の焦点は軍事以上に経済に置かれ、米中貿易紛争の長期化によって日本経済への打撃が懸念となった。北朝鮮については米朝首脳会談によってアメリカと直接交渉する機会を得ただけに、拉致問題について日本に譲歩する可能性はむしろ小さくなった。これが日ロ関係になると、一月一四日に開催された外相会談では南千島はロシアに帰属するとラブロフ外相に一蹴された。このたびの日ロ首脳会談でも領土返還の道筋が整ったとは言えない。

外交目標の達成が難しい第一の理由は実現困難な目標を掲げているためだが、それに加え、経済援助のほかには相手国を操作する手段が日本に乏しいことがある。アメリカ、北朝鮮、ロシア、どの例を見ても日本と協力しなければ打撃を受けるという状態ではない。

主要な外交課題が難航するなかで安倍政権に残された課題が憲法改正である。私は憲法を守ることで日本の平和が保たれたとの議論には賛成できないが、すでに安保法制によって同盟と憲法の矛盾を当面は解消したいま、なぜ憲法改正が必要となるのかは理解できない。大きな成果を収めることなく終わった南スーダンへの自衛隊派遣について振り返って検討することの方がよほど重要だろう。

だが、国内政治では、外国政府のような抵抗に出会うこともない。憲法改正に反対する勢力の力が弱い今だから憲法改正が可能だという見方もあるのだろう。国際関係では日本を上回る力に抗することができないが、日本国内であれば政府が優位に立つ。外に弱く、内に強い政治の姿である。

では、何をなすべきか。必要なのは他国を操作する手段が乏しいのであれば、他国も賛同する、あるいは賛同せざるを得ない枠組みを示し、国境を超えた多国間の協力を支え、発展させることである。

安倍首相も数々の演説で多国間の協力を呼びかけてきた。最近では、二〇一八年一〇月に開催された第一二回アジア欧州会議首脳会合において多角的貿易体制の堅持を訴えた。貿易における多国間協力を日本が呼びかけるのは当然のことにも見えるが、貿易だけではない。国際連合が呼びかけた持続可能な開発目標（ＳＤＧｓ）について安倍政権は推進本部を設け、ＳＤＧｓの実現に向けたアクションプランを発表している。

国境を閉ざしつつある世界のなかで、国境を超えた協力を模索すること。それこそが、世界各国から信頼される日本への選択だろう。

（二〇一九年一月二三日）

謝る前に知っておくこと

日韓関係は国交樹立以来もっとも厳しい情勢を迎えた。まず、二〇一八年一〇月、韓国最高裁は元徴用工による訴えを認め、新日鉄住金に損害賠償を命じた。一九六五年の日韓請求権協定で最終的に解決したとされた請求権に関する合意は個人の賠償請求権に及ばないという判断である。

翌月、韓国政府は慰安婦財団の解散を発表した。二〇一五年に当時の朴槿恵政権が安倍政権と結んだ日韓慰安婦合意によって生存している被害者への支払いを行う財団であり、かつて村山政権の下で設立された「アジア女性基金」が民間の募金に多くを頼ったのと異なり、日本政府の拠出によるものだった。この財団の解散により、日韓慰安婦合意は事実上破棄されたことになる。

事態はさらにエスカレートする。一二月には海上自衛隊の哨戒機がレーダー照射を受けたと日本政府が発表し、照射は行っていないと主張する韓国国防省と対立した。最近では、韓国の文喜相(ムンヒサン)国会議長が慰安婦問題解決のために天皇陛下は謝罪すべきだと発言し、批判を受けた後も発言撤回を拒んだ。

どうしてこんなことになるのか。日本で広く行われる解釈は、韓国の文在寅大統領が左派のポピュリストであり、反日感情を煽ることで政権を支えているというものだ。確かに韓国政治における左派は、朝鮮半島における南北対話と並んで慰安婦問題を筆頭とする歴史問題を重視しており、文在寅大統領は金大中、盧武鉉につながる左派に属している。だが、文在寅政権が煽ったから問題が生まれたというだけでは、なぜ韓国で反日感情が強いのかという問いが残される。

国際的には徴用工と慰安婦について韓国政府の主張に賛同する声が多いといっていい。私も慰安婦は性犯罪であり、売春一般と慰安婦を同視する議論は暴論に過ぎないと考える一人だが、それでも日韓両国における歴史の言説の極度な違いにはたじろいでしまう。『帝国の慰安婦』（朝日新聞出版）は慰安婦自身の言葉を踏まえてこの問題の抱える多面的で時には矛盾する側面を解き明かした著作であるが、著者の朴裕河（パクユハ）氏は慰安婦の名誉を毀損（きそん）したとして起訴され、ソウル高裁は歴史を歪め被害者に苦痛を与えたとの理由から有罪判決を下した。朴氏は慰安婦を連れ去った中間業者に注目してはいるが軍の役割は否定しておらず、むしろ女性をモノに還元してしまう男性のための社会を告発しており、慰安婦の存在を否定する議論とはまるで違う。朴氏の示した単純化のできない多面的な歴史認識は、韓国国民の共有する、明確な信念としての歴史と相容れないものであるかのようだ。

日韓の歴史問題を論じた木村幹（かん）神戸大学教授は、歴史認識問題は沈静化するどころか一九九〇年代に入って悪化したと指摘し、この問題は過去の事実ばかりでなく現在の政治、ポピュリズムの台頭とナショナリズムの高揚のなかで捉えなければならないと主張した（『日韓歴史認識問題とは何か』ミネルヴァ書房）。木村氏は韓国政治の展開を振り返りつつ日本における「新しい歴史教科書をつくる会」の活動にも触れ、ポピュリズムを韓国だけの現象とは見ていない。

やるせない思いに襲われる。日本の犠牲者という認識を韓国国民が共有し、その韓国の訴えが国際合意を踏みにじる行いとして日本で伝えられるとき、「われわれ」は「やつら」の犠牲者だという認識が両国で加速し、鏡で映し合うように犠牲者意識とナショナリズムが高揚してしまう。

韓国で語られる歴史が「正しい」わけではない。それでもここで問いかけたいことがある。植民地支配のもとに置かれた朝鮮半島の社会、そして戦時に動員された労働者や女性が強いられた経験について、日本でどこまで知られているのか、ということだ。

日本の朝鮮半島支配を正当化し、徴用工は強制的に動員されていない、慰安婦は売春婦だなどと切って捨てる人が日本国民の多数だとは私は信じない。だが、そのような言説が日本で行われていることは事実であり、さらに植民地支配と戦時動員という過去を見ようとせず、知らないことのなかに自分たちを置いている日本国民が少なくないことも否定できない。これでは、過去を知らない責任を問われても仕方ない。

歴史問題では謝罪の有無が繰り返し議論されてきた。日本政府は謝罪を行ってきたと私は考えるが、何が起こったのかを知らなくても謝罪はできる。謝る前に必要なのは、何が起こったのかを知ることだ。自分たちを支える国民意識に引きこもって日韓両国民が非難を繰り返すとき、ナショナリズムと結びついて単純化された国民の歴史から自分たちを解放する必要は大きい。

（二〇一九年二月二〇日）

第二のダンケルク

一九四〇年、大陸に派兵したイギリスは、ナチスドイツの猛攻を前にフランスのダンケルクから撤兵した。約八〇年後のいま、イギリスはEUから離脱しようとしている。

三月一二日から一四日の三日間、私が訪れたイギリスのテレビは、EU離脱の下院審議で持ちきりだった。ブレグジット、イギリスのEU離脱についてメイ政権がEUと結んだ協定案は保守党議員の造反を主な理由として一月に下院から否決された。EU条約第五〇条に基づく離脱期限は三月末。協定なき離脱が現実の可能性として迫るなかで集中討議が行われたのである。

審議の主要点は、協定の内容を補足する文書を加えたなら離脱協定は認めることができるのか、協定なき離脱はしないという決議は可能か、さらに三月末の期限を延長することに下院は賛成するかという三つの点だった。

結局、補足文書を加えても協定は再度否決される一方、協定なき離脱はしないことが決議され、さらに協定期限の延長も認められた。これだけを見るなら、ボリス・ジョンソン元外相などが求めてきたハードブレグジット、つまり三月末をもって協定なしにEUから離脱する可能性は低くなったと言ってよい。

だが、下院における審議は混乱を極めた。与党保守党の内部は協定なき離脱に賛成する者と反対する者とに分かれ、また野党労働党のなかにもコービン党首の方針を受け入れない議員もあったからである。投票のたびに与党からの何人の議員が造反するのかが報道の焦点となり、実際のところ与党案に棄権、あるいは反対する議員は相当の数に上った。集中審議は保守党の亀裂とメイ政権の弱体化を露呈する結果で終わった。

協定案の修正も離脱期限の延長もEUが認めなければ実現できない。メイ首相は与党連合の一角でありながら一連の決議で反対に回った民主統一党（DUP）の協力を求め、補足文書を改定したうえで離脱協定を下院審議に付し、EUの了承を求める方針であると伝えられる。しかし、下院議長は同じ協定の三度目の審議は認めないと述べた。どんな修正にEUが応じるのか、離脱期限の延長はいつまで認めるのかも明らかではない。EU離脱問題は不安定な延長戦に入ろうとしている。

EU離脱はイギリスの内政を投影している。決して新しいことではない。当初イギリスは欧州経済共同体に参加せず、欧州共同体に加盟した一九七三年以後も欧州統合に反対する勢力が保守党・労働党を横断して存在した。キャメロン首相が離脱の有無を国民投票にかける提案を行った背景にも保守党内部におけるEU残留派と離脱派の対立があった。国民投票の後に首相に就任したメイ氏の最大の課題はブレグジットが保守党の分解を招かないことに置かれていた。

そもそもEUとは何だろうか。EUは戦争を繰り返してきたヨーロッパ諸国が地域を統合する歴史的実験として語られてきたが、遠藤乾(けん)北海道大学教授の『統合の終焉』(岩波書店)は、それまでの研究が多く用いてきた「地域統合」という切り口から脱却して現実のプロセスとしてEUの形成を捉え、EUへの集権化と加盟国の分権化という二つの軸の間を揺れ動く地域機構の姿を描いている。遠藤氏の研究を踏まえて見れば、ブレグジットは集権化と分権化の拮抗(きっこう)のなかに生じた現象の一つとして見ることもできるだろう。

それでもEUから出てしまえば経済的打撃は大きいはずだ。だが、下院審議の中心となったのは離脱後のEUとの包括的通商関係ではなく、アイルランドとの国境問題だった。北アイルランドとアイルランドの間で現在の国境管理が保たれるなら、離脱後はアイルランド島とブリテン島との間に事実上の国境が生まれてしまい、北アイルランドが連合王国から引き離されるという懸念から、それを防ぐ防御策(バックストップ)が求められたのである。統合維持がもたらす実利よりも主権国家としての連合王国の一体性を重視する。ブレグジットにはイギリスのナショナリズムが投影されている。

ナショナリズムと自画自賛は裏表の関係にある。ドイツを前に兵を撤収したのだからダンケルクは惨めな撤退だったはずだが、民間の船によってイギリス兵を救出した美談としてイギリスでは語られてきた。EU離脱派は、自分の首を絞めるはずのEU離脱をイギリス国民の栄誉を保つ選択として求めている。

ブレグジットはイギリス国民の自画像とその歪みを伝える残酷なエピソードである。結局イギリスはEUから離脱することになるだろう。ブレグジットの後もEUが解体に向かうことにはならないだろう。だが、こんなことのどこに意味があるのだろうか。

（二〇一九年三月二〇日）

第九章

挑発と誘惑の果てに

ＳＤＧｓは机上の空論ではない

世界の現状を憂慮する文章を書き続けてきた。悲観的な見通しがうれしいわけではない。放置すれば悪化する情勢を伝えることが目的だった。

このコラムで最近取り上げたテーマ、米中関係、日韓関係、イギリスＥＵ離脱を並べるなら、各国国内におけるナショナリズムの高揚のために国境を超えて協力する機会が奪われてしまうという共通点があることに気づく。国境を超えて考えるなんて机上の空論に過ぎないという世界の姿である。

だが、誰もがナショナリズムに溺れ、国境のなかだけから世界を考えているわけではない。国際連合の掲げる持続可能な開発目標、ＳＤＧｓをめぐる議論は、国境を超えて世界を考えることが少数派の夢想ではないことを示している。

ＳＤＧｓとは、二〇〇〇年に国連の首脳会議が採択したミレニアム開発目標（ＭＤＧｓ）の後継として、二〇一五年に国連で開かれた首脳会議によって採択された二〇三〇年までの長期的活動方針、国際社会共通の一七の目標のことを指している。なかでも注目されたのは気候変動への具体的な対策を求めたものであるが、そのほかにも貧困と飢餓の撲滅、健康と福祉、教育、ジェンダー平等、平和と公正など、数多くの目標が掲げられており、それらの大きな目標の下にはその目標をさらに具体化した一六九に上るターゲットが挙げられている。現代世界の抱える課題を列挙したような内容といっていい。

どれをとっても頷ける内容だが、最初に見たとき、実現は難しいだろうと考えたことを告白しなければならない。その前に掲げられたミレニアム開発目標は、実現しなかったばかりか、そんな目標を国連が打ち出したことさえ知らない人が大半のままで終わってしまった。国連に関わる人がクリスマスツリーのように飾り立てた多彩で意欲的な活動目標に世論の関心が集まるとは、私には考えられなかった。

不明を恥じるほかはない。日本政府はすべての閣僚をメンバーとするSDGs推進本部を立ち上げ、SDGs達成に向けたアクションプランを発表している。財界でも、経団連は革新技術によるSDGsの実現をSociety 5.0 for SDGsとして掲げ、六月に開催される主要二〇カ国・地域首脳会議G20に先だって経済界の提言をとりまとめるBusiness 20（B20）を開催し、SDGsの実現を提唱した。個々の企業をとっても富士ゼロックスから吉本興業まで、SDGs推進に関わる会社は数多い。

政府や財界ばかりではない。朝日新聞は「クローズアップ現代」のキャスターを長く務めた国谷裕子氏をナビゲーターとして「2030　SDGsで変える」と題する企画などを続けてきた。東京大学も新設の未来社会協創推進本部の目標にＳＤＧｓを掲げており、私がセンター長を務める未来ビジョン研究センターはその活動の一翼を担っている。共有できる、また共有すべき未来の姿としてＳＤＧｓはすでに定着しようとしている。

いつもは仲がよいと限らない政府と企業と朝日新聞と東大が同じ目標に賛同するというこの現象は、なぜ起こったのだろうか。第一の理由は課題の緊急性だ。地球環境の温暖化がもたらす危機的状況について情報が共有されたからこそＳＤＧｓも支持を受けたといってよい。また企業については、環境、社会、企業統治に配慮するＥＳＧ投資が定着したことも挙げなければならない。

だが、緊急を要する課題に誰もが積極的に関わるのなら、核兵器はとっくに廃絶されているはずだ。ＳＤＧｓについて注意すべきは、経済的に立ち遅れた発展途上国に援助を行ったり政策を求めたりするような性格を免れなかったミレニアム開発目標と異なり、先進工業国を含む世界全体の目標としてこれが掲げられていること、さらに国境を超えた協力と結束なしにはＳＤＧｓの実現は不可能であるとの認識が共有されていることである。

目標が共有されれば世界が変わるわけではない。ＳＤＧｓを求めるのなら、なぜ日本における再生可能エネルギーへの転換は進まないのか。ジェンダー平等がＳＤＧｓに含まれていることは認識されているのか。ＳＤＧｓを掲げながら国連の活動の焦点である発展途上国の状況にはなぜ関心が集まらないのか。世界各国のなかには地球環境の温暖化を否定する政府があることも見逃せない。

それでもＳＤＧｓへの関心が集まっていることは歓迎すべきだろう。国際関係とは国家と国家が衝突する空間に過ぎないというリアリズムを超えた、国境を超えて協力することへの責任感がここにある。これを幻で終わらせてはならない。

（二〇一九年四月一七日）

挑発と誘惑の果てに

イラン情勢が緊迫している。

安倍首相がイランを訪問しているさなかの六月一三日、オマーン沖で日本企業の運航する一隻を含むタンカー二隻が爆発による損傷を受けた。

アメリカのポンペオ国務長官もトランプ大統領も、タンカーを攻撃したのはイランだと述べた。五月にタンカーが爆発物による被害を受けたときもボルトン安全保障補佐官がイラン政府によることが確実だと断言した。

だが、わからないことは多い。米軍はタンカーに横付けされた船の映像を公表し、イランのイスラム革命防衛隊が不発に終わった水雷を回収する現場だと主張したが、これだけでその結論を下してよいのかわからない。イラク戦争に至る過程で公表されたイラクの大量破壊兵器開発の「証拠」が誤っていたことを振り返ってみれば、結論を急ぐわけにはいかない。

とはいえ、革命防衛隊が実際にタンカー破壊工作を行った可能性も残る。民間船舶への攻撃を認めてならないのはいうまでもない。さらにイラン政府はシリア内戦でアサド政権、イエメン紛争では急進勢力フーシ派に支援を与えてきた。どちらもアメリカがイランとの六カ国核合意を離脱する前から続いてきた行動だけに、トランプ政権が圧迫したためイランが強硬策に転じたとばかりはいえない。

問題はその先にある。イランに最大限の圧力を与える政策がイランの政策転換を生み出すか、ということだ。

攻撃的とも見えるイランの中東政策への懸念は、アメリカのトランプ政権ばかりでなくドイツやフランスなど核合意に加わった各国に共有されてきた。両者の分かれ目は、イランへの懸念ではなく状況を打開する方法、すなわち経済制裁の部分的解除と引き換えに核開発の制限を認めさせるのか、全面的な圧力を加えるのかという選択であった。イランとの核合意は、まず核兵器の開発を放棄させ、その信頼醸成を基礎として中東におけるイランの政策の転換を期待するものだった。

私は、核開発の制限をまず進め、そこからさらにイランの政策転換を求める選択は、正しい選択だったと考える。体制転換を求める恫喝の効用は少ないからだ。

イランでは政府と並んで革命防衛隊も権力を保持し、独自の軍事組織を擁している。そのイランの現体制打倒を目的として経済制裁を加えても軍事介入の可能性を示威しても、イラン政府の譲歩は期待できない。仮にタンカー攻撃を革命防衛隊が行っていたとしても、経済制裁や武力介入の威嚇がもたらす効果はごく限られたものに過ぎない。

トランプ大統領はイランとの戦争は望んでいないと発言しているが、イランがどのような政策をとれば圧力を弱める意思があるのか、その出口を示さなければ戦争を避けることはできない。タンカー攻撃に先立って空母を派遣するなど米軍のプレゼンスを強化し、安倍首相がイランを訪問する直前に新たな経済制裁を発表し、タンカー事件の後には米軍兵力を増派するなど、現在のアメリカ政府の行動は、イランを軍事的に挑発しているとしか考えられないものばかりだ。

最大限の圧力を加えながらイランの行動を変えることができないなかで、アメリカは、イランへの武力行使以外の選択を失ってゆくだろう。サウジアラビアやイスラエルのように、米軍介入を期待する諸国があることも否定できない。周辺諸国との関わりにおいてシリア内戦はイランとロシアという軍事的には弱い側が勝った戦争であり、武力において勝るサウジ、イスラエル、そしてアメリカにはイランを軍事的に圧倒する誘惑が残ってしまう。

ホルムズ海峡安全通航の保障などの言葉を聞くと、かつてのイラン・イラク戦争における タンカー戦争を思い出さずにはいられない。結局タンカー戦争に米軍は介入するが、イランの抑制には効果が乏しかった。既にイランも核合意から部分的に離脱し、低濃縮ウランの貯蔵量が合意の定める条件を超えようとしている。イランの核開発が全面的に再開される危機のなかで、現在のように限定された紛争が中東規模の戦争に発展する危険は無視できない。

このたびの安倍首相によるイラン訪問がアメリカとイランの緊張緩和に成功したとはいえない。トランプ大統領のメッセージを届けるだけであればイラン指導部の譲歩を得ることができないことも明らかだろう。だが、サウジとイスラエルだけに頼る中東政策にアメリカが陥り、イランへの武力行使に流されてゆく状況を放置してはならない。外交の安倍を誇るのであれば、日本はさらにイランとの緊張緩和のイニシアティブを取る責任がある。

（二〇一九年六月一九日）

首脳外交

安倍政権の特徴は首脳外交だ。外務省など各省庁から政策決定を首相官邸に集約し、各国首脳と会談を繰り返す。首相が表に立って采配をふるい、世界各国の指導者に直接会って話すことで日本に有利な外交合意の実現を図るのである。

首脳外交を支えるのが長期政権だ。安倍政権以前の日本では毎年のように首相が代わる時期が続き、各国首脳との信頼関係を築くことが難しかった。首脳外交に加えて長期政権が安倍首相に対する国際的な認知を進めている。

それでは安倍首相による首脳外交は大きな成果を収めたのか。私はそう考えない。

まず、日米関係。二〇一六年一一月にニューヨークを訪問して大統領就任前のトランプ氏と会見して以来、安倍首相はトランプ氏の懐に飛び込むようなアプローチを続けた。一九年五月における日本公式訪問はトランプ氏への歓待に彩られていた。

このような首脳外交のおかげで安倍首相とトランプ氏との間に信頼が生まれたのは事実だろう。日米首脳が親密な関係を築いた例は中曽根首相とレーガン大統領、小泉首相とブッシュ大統領など従来にもあるが、安倍首相とトランプ氏の関係に並ぶ先例はない。

だが、米国のTPP離脱、さらに鉄鋼・アルミ製品への関税引き上げに見られるように、首脳間の信頼関係は日本の期待する政策に結びついていない。大阪の二〇カ国・地域(G20)首脳会議閉幕後の記者会見でトランプ氏は、日米安保条約を破棄する意思はないとしつつ、条約の片務性を是正すべきだ、安倍首相にもそう伝えてきたと述べている。

米国大統領が対日関税を引き上げて安保条約の見直しを求めるのだから、日米関係の危機と呼んでも言い過ぎではない。トランプ氏の懐に飛び込んだ安倍首相は、圧力を強化しても日本はアメリカから離れないというイメージをつくってしまった。日米首脳外交の主導権はトランプ氏が握っている。

対ロシア政策の中心も首脳外交だ。安倍政権は日ロ関係の最大の課題である領土問題に取り組み、プーチン大統領との会談を繰り返した。だがロシア政府の姿勢は固く、南千島はロシアに帰属するとラブロフ外相は言い放った。大阪のG20首脳会議に参加したプーチン大統領と安倍首相の会談も平和条約交渉を加速すると合意するにとどまり、領土問題の打開を示す内容はない。領土問題の解決を求める安倍首相がプーチン氏に足元を見られた構図である。

対中関係はどうか。トランプ政権を支持する議論の一つに中国の台頭を抑えることができるのはトランプ氏だというものがある。その背景にはオバマ政権の下で中国の南シナ海などにおける勢力拡大が放置されたという認識がある。

しかし中国の軍事的拡大を恐れる日本とは異なり、米国対中政策の焦点は米中貿易不均衡に置かれている。トランプ政権は高関税政策で中国は圧迫しても軍事的対抗は強化しておらず、中国人民解放軍の外洋展開はいまも続いている。さらに、関税を手段とした対中圧力は世界のサプライチェーンを揺るがすため、日本にとっても有利ではない。中国の軍事的拡大を恐れる日本が貿易政策では中国との協議を強化するという展開がここから生まれる。

イラン外交も成果を上げていない。G20直前にイランを訪問してハメネイ師と会見したが、米国とイランの緊張を緩和することはできなかった。北朝鮮についても、安倍首相は日朝首脳会談の開催を提案したが、北朝鮮は受け入れていない。アメリカ大統領との首脳会談が可能なとき、日本の首相と会う必要はないかのようだ。

なぜ首脳外交の成果が乏しいのか。それは、首相が自ら外交を主導するとき、官邸の進める政策に対して政府のなかで批判を行うリスクが高いからだ。トランプ氏と親交を結ぶだけではアメリカの対日圧力は減らないとか、プーチン氏との首脳会談開催は時期尚早だなどといった懸念は私には当然のものと思われるが、それを官僚が口にするなら首相官邸に睨(にら)まれる危険を冒さなければならない。そして、専門知識を持つ政策実務家が声を上げなければ、首相は裸の王様になってしまう。首脳外交と官邸外交の罠(わな)である。

問題は、対外政策の失敗を指摘する声が野党からも上がってこないことだ。今回の参院選においても、憲法改正を阻止しなければならないという主張は行われているが、安倍外交に対する具体的な批判は少ない。

政府の専門家は官邸を恐れ、野党は憲法に絞った政府批判に終始する。それが招く結果が、選挙に強いが外交成果は乏しい政権にほかならない。

（二〇一九年七月一七日）

心に引っかかること

今年もまた、広島に原爆が投下された八月六日、長崎が被爆した八月九日、そして八月一五日の終戦記念日と、戦争で亡くなった方々を追悼する式典が催された。新聞とテレビは七四年前の戦争を振り返る記事や番組でいっぱいだった。

それを読み、観ながら、心に引っかかることがあった。第二次世界大戦において展開された暴力のなかに、広く語られる暴力と、語ることの許されない暴力の二つがあることだ。

あいちトリエンナーレの企画「表現の不自由展・その後」が抗議ばかりでなく暴力行為の予告などを受けて中止となった。抗議や脅迫の元となった展示のなかには、昭和天皇の肖像群が燃える作品に加え、慰安婦の少女を表現した作品があったと報道されている。

企画展の中止に関する論評の多くは憲法によって保障された表現の自由との関係から議論するものであった。もちろん展示会を暴力によって威迫することがあってはならない。だが、表現の自由とはまた別に、気になった問題がある。慰安婦の姿を表現することは受け入れることができない、そのような展示は認められないと考える人々が日本国内に少なからず存在するということだ。

初めてのことではない。慰安婦の姿を表現した少女像は、設置を求める運動が韓国系団体を中心として展開され、ソウルの日本大使館前ばかりでなく世界各地に設置される一方、撤去を求める運動も行われてきた。

ここでは慰安婦の表象が戦時性暴力ではなく反日的な行為として捉えられている。語られない、語ることが許されない戦争の暴力である。「見たくない過去」といってもいいだろう。

語られる過去もある。日本で広く伝えられてきた暴力の中核は、広島と長崎への原爆投下だろう。膨大な数の国民の生命を奪い、生き延びた人々についてもその心と身体(からだ)にむごい傷を与えたこの事件は、核兵器は地上から廃絶されなければならないという願いとともに繰り返し語られてきた。原爆投下ばかりでない。広島・長崎の被爆は、東京や阪神への空襲、あるいは沖縄戦を始めとした、銃後の日本人が経験した戦争のシンボルとして伝えられてきたといっていいだろう。

一般市民の視点から戦争を捉えた作品の一つが「この世界の片隅に」である。こうの史代の漫画を原作としてテレビドラマも映画も作られたが、ここでは片渕須直が監督したアニメ映画を取り上げてみよう。

この映画のほとんどが、絵を描くのが好きな主人公すずの視点で貫かれている。この夢見がちな少女は北條周作と結婚して広島を離れて呉に住むことになるが、太平洋戦争のさなか、日を追うごとに暮らしは厳しさを増してゆく。食べるものにも事欠く状態となり、呉は米軍の空襲を受け、広島に原爆が投下される。悲劇としか呼びようのない展開ではあるが、悲劇性を印象づける画面づくりや音響効果は抑制され、他方では結婚前のすずが住んだ広島も、夫の実家がある呉も、細部まで描かれている。

「この世界の片隅に」は、反戦や反核のメッセージを訴えるのではなく、すずの目に映ったものを観客に伝えることに徹している。ここで描かれる戦争の姿は、必ずしも新しいイメージではない。空襲と原爆投下というこれまでにも日本で語られてきた戦争経験が、軍人ではない日本国民の視点から精妙に表現されている。

「表現の不自由展・その後」の中止が発表された後、私は、三年前に観た「この世界の片隅に」を再見し、改めて感銘を受けた。そして、「この世界の片隅に」と慰安婦の少女像もともに受け入れることはできないのかを考えた。

戦争の記憶が政治的な争点となることは日本に限った現象ではない。一九九五年、スミソニアン航空宇宙博物館の企画した原爆投下の展覧会がアメリカ国内の反発を受けて中止に追い込まれ、原爆を投下したエノラ・ゲイが展示されるにとどまった。ここには「見たくない過去」としての原爆投下を排除する態度がある。

原爆投下を「見たくない過去」とするアメリカ人がいるように、慰安婦を「見たくない過去」とする日本国民がいるのだろう。だが、原爆投下への批判がアメリカ国民への侮辱ではないように、慰安婦を語ることは日本国民への侮辱だと考える必要もない。

不条理な暴力に踏みにじられた人間を描く点において、すずに心情同化して戦争を捉えることと慰安婦の表象を通して植民地支配と戦争を語ることとの間には矛盾はない。既に植民地支配も侵略戦争も過去のものとした日本であればこそ、民族の違いを超えて戦時の暴力の犠牲を見ることはできるはずである。

（二〇一九年八月二二日）

核戦争は遠い将来の危険ではない

いま世界の核兵器をどのように考えるべきだろうか。

一方には、核兵器は廃絶すべきだという議論があり、他方には安全保障のためには抑止力としての核が必要だという主張がある。核兵器に関する議論の多くは、この正反対の立場の間で行われてきた。

だが、差し迫った危険として核兵器を見ていない点において、この二つの主張には共通点がある。核廃絶を求める者は廃絶が難しいことを自覚し、核抑止を求める者も現実の戦争で核兵器が使われる懸念には目を向けない。核戦争は遠い将来の可能性として考えられている。

専門家の見方はこれとは違う。核兵器を管理する体制が近年著しく弱まっており、大国の軍事戦略における核兵器への依存、さらに核兵器が実戦で使用される可能性さえ高まっていると考えられているからだ。

核問題の専門誌「ブレティン・オブ・ジ・アトミック・サイエンティスツ」は、核戦争による破滅までどれほど近づいたのか、真夜中まで残された時間によって示してきた。二〇一八年以来、この時計は真夜中まで二分を指したままだ。一九五三年からこちら、核戦争に最も近づいているという厳しい判断である。

どうしてだろうか。まず、アメリカに比べて通常戦力で劣るロシアが核戦力への依存を高めている。既にロシアは中距離核戦力（ＩＮＦ）全廃条約に違反すると懸念されるミサイルを配備し、ミサイル防衛を突破する超高速ミサイルの開発も進めている。さらにＩＮＦ条約の当事国ではない中国が新世代ミサイル開発を進めたため、ＩＮＦ条約の意味は損なわれていた。

二〇一八年二月に公表された米国核態勢見直し（ＮＰＲ）はオバマ政権の発表した一〇年版と対照的に、核戦力がアメリカの防衛戦略において果たす役割を強調する内容となった。特に注目されるのは、巡航ミサイルへの核弾頭搭載再開と低威力核兵器の開発である。ここでは抑止力の強化ばかりでなく実戦における使用可能性も射程に入っている。

一九年八月のトランプ政権によるＩＮＦ条約離脱はこの流れのなかから理解することができるだろう。ＩＮＦ条約は米ソ両国の核兵器削減、さらに米ソ冷戦終結に向けた展開の始まりであったが、その核管理体制の礎が失われてしまったのである。

米ソ冷戦終結後、米ロ両国の核戦力削減が進むとともに国際政治の課題として核兵器を捉える視点は後退し、核兵器を用いないという国際的な合意、核タブーが既に形成されているという議論さえ生まれた。オバマ大統領はそのプラハ演説において、慎重な表現とはいえ核兵器のない未来について語った。その流れはいま逆転した。ロシア・中国両国とアメリカとの軍事的緊張が高まるなかで、核兵器への依存が復活しようとしている。

では何をすべきか。二〇一九年八月、日本、アメリカ、中国、ロシア、オーストラリアなど各国の専門家が広島に集まり、ひろしまラウンドテーブルが開催された。私が議長として加わった今回のラウンドテーブルでは核軍縮の破綻に対する懸念が共有され、会議の終わりには議長声明に加えて、四点の緊急声明が発表された。

緊急声明の要旨は、INF条約が事実上失効した後も各国が最大限の自制を保つこと、米ロの新戦略兵器削減条約（新START）を五年間延長すること、包括的核実験禁止条約（CTBT）の発効まで各国が核実験の自制を続けること、そしてイラン核合意を保持することである。これらはいずれも、INF失効による米ロ両国の核軍拡競争の拡大、二一年に期限を迎える新STARTの失効、アメリカによるCTBTからの離脱、そして核合意の破綻によるイラン核開発再開という、まさにいま進みつつある現実を踏まえた提言である。間違っても遠い将来に実現すべき課題ではない。

ラウンドテーブル後に行われた講演、ひろしまレクチャーにおいて、オーストラリア元外相ギャレス・エヴァンスは、核軍縮は不可能な夢なのだろうかと問いかけた。川口順子元外相と共に核不拡散・核軍縮に関する国際委員会の共同議長を務めたエヴァンス氏はいわば核軍縮に生涯を捧げてきたといってよい政治家であるが、ただ核廃絶の理念を掲げるだけではなく、核軍縮を実現するために必要な具体的政策を常に示してきた人だ。そのエヴァンス氏が、抑止ばかりでなく核が実戦使用される危険を訴えたのである。

核戦争は決して遠い将来の危険ではない。日本政府は、緊急の政策課題として核軍縮を実現しなければ現在の平和が失われるという緊張感のなかで核兵器の削減に努めなければならない。

（二〇一九年九月一八日）

孤立主義

トランプ氏が大統領に就任してから三年近く、テレビから目を離すことができない。テレビといっても、国内のニュースがほとんどの地上波放送ではなく、NHKのBS放送か、BBCとCNNばかり。それでは私の関心が日本社会から離れてしまうのではないかという恐れはあるが、致し方ない。トランプ大統領がアメリカと世界の両方を壊しているただなかにあるからである。

シリアからの米軍撤兵が発表された。シリア内戦において地上軍の派遣に消極的であったアメリカはクルド系武装勢力に頼って軍事介入を進めたが、そのクルド系勢力を見捨てるかのように、派遣した部隊の撤収を命じたといっていい。

アメリカが海外に派兵した部隊を撤収するのは望ましいことではないか、国際平和のために必要な一歩だという声があるだろう。だが、事態はそれほど簡単ではない。米軍の撤退によって新たな戦乱が生みだされたからである。

シリア撤兵が発表されたのは、エルドアン・トルコ大統領がシリア北部のクルド系武装勢力が実効支配を行う地域への軍事介入を行う意思を公表した後のことであった。その予告に従うかのように、米軍が一部撤収した後、トルコはシリア国境を越えて進軍した。

トランプ大統領は、トルコの越境攻撃を認めたことはない、トルコの行動によっては大規模な経済制裁を加えると発表したものの、トルコによる軍事介入に対抗するどころか、米軍の撤退をシリア北部全域に拡大した。経済制裁にもかかわらずトルコの進軍は続いている。後退を強いられたクルド系勢力は、かつての敵であったシリアのアサド政権と手を結び、アサド政権の下のシリア政府軍がクルド地域に進軍していると伝えられている。米軍撤退はシリア内戦を再燃させてしまった。

シリアだけではない。トランプ政権は、その行動によって生まれる混乱を度外視したその場の思いつきのような対外政策を繰り返してきた。

　北朝鮮に最大限の圧力を加えると脅した後に金正恩朝鮮労働党委員長と首脳会談を行い、会談が成果を収めたとトランプ氏は主張し続けている。だが、朝鮮半島非核化に向けた具体的な措置が行われていないばかりか、北朝鮮はミサイル実験を繰り返し、ミサイルの潜水艦発射にも成功したと報道されている。

　イランについては、核合意を一方的に破棄し、他国に経済制裁への協力を求めながら、イランの関与が疑われるサウジアラビア石油施設への攻撃の後も軍事介入は行っていない。トランプ政権は他国に脅迫を加えることには積極的でも、現実の軍事力行使には消極的なのである。

　これまでのアメリカ政府が地域への軍事介入に成功してきたとは言えない。ブッシュ政権はフランスやドイツなど同盟国の賛同を得られないままイラク攻撃に踏み切り、イラクに力の真空を生み出した。単独行動によって中東情勢を混乱に導いたというほかはない。同盟国との協力を求め、一国による軍事介入に慎重であったオバマ政権もリビアとシリアに軍事介入を行ったが、地上軍派遣に消極的であったこともあって、地域の安定を実現することはなかった。

　だが、トランプ大統領の招いた混乱はブッシュ政権やオバマ政権とは異なるものだ。他国との協議を経ることなく北朝鮮やイランに最大限の威嚇を加える一方、世界の警察官ではないと公言しつつ兵力を撤退する。トランプ政権からレトリックをすべて剝ぎ取るなら、残されるのは国際政治から手を引くアメリカであり、孤立主義の再興である。

これまで世界各国は、アメリカによる軍事力の行使が世界を混乱に陥れることを恐れつつ、その軍事力に頼って国際関係が安定することを期待するという矛盾した態度に引き裂かれてきた。そのなかで、NATO諸国、オーストラリア、そして日本などのアメリカの同盟国は、アメリカを同盟のなかに取り込むことによってその単独軍事行動を抑えつつ各国の安全を損なうような攻撃的な国家に対してアメリカの関与を求めてきた。後先を考えない威嚇と撤退によって、トランプ大統領は同盟の信頼性を突き崩してしまった。

アメリカが国際的な関与から撤退すれば、ロシア、そして中国の対外的影響力の拡大を招かざるを得ない。安倍首相はトランプ大統領との協力を第一とする外交政策をとってきたが、アメリカが同盟国との協力を度外視する行動を繰り返すとき、日米同盟の信頼性は弱まることが避けられない。現代世界の安定を阻む最大の要因がトランプ大統領であることから目を背けてはならない。

（二〇一九年一〇月一六日）

一帯一路政策などから連想する中国は、軍事・経済の両面で覇権を求め、国際政治の安定を阻む新興大国の姿である。だが中国最大の敵は中国自身であり、共産党による抑圧的支配にほかならない。

黙認してはならない

まず、香港の情勢が緊迫している。二〇一九年三月から引き続くデモが起こったきっかけは刑事事件容疑者の中国大陸部への引き渡しを可能とする逃亡犯条例の改正である。だが、林鄭月娥（キャリー・ラム）香港特別行政区行政長官が九月に条約改正断念を正式発表した後も運動は衰えず、目標も普通選挙の実施など香港民主化と呼ぶべきものに広がった。

暴力も加速している。警察は放水や催涙ガスばかりでなく銃による発砲も開始した。当初は非暴力に徹したデモも、参加者への暴行が続くなかで商店の破壊や火炎瓶の使用を始めた。一一月八日に学生一名の死亡が確認された後はデモ隊と警察の衝突が毎日のように繰り返され、香港中文大学など大学キャンパスには警察が突入した。

一四年の雨傘運動を第一として香港における反政府デモは従来もあったが、今回のように継続的で大規模なデモは初めてのことだ。背後には一国二制度の危機がある。かつては一国二制度という枠組みの下で香港にはより民主的で開放的な制度が保たれ、やがて大陸部の深圳や珠海に拡大する期待があった。いまは逆に、香港が大陸部の制度に統合され、一国二制が一国一制に変わりかねない情勢がある。

メディアが日夜伝える香港情勢と異なって、新疆のウイグル族に関する情報は限られている。それでも一七年以後、再教育ないし職業訓練の施設との名の下で膨大な数のウイグル族が収容されたと伝えられ、国連人種差別撤廃委員会では一八年八月、最大一〇〇万人のウイグル人が強制収容所に入れられているとの報告が行われた。これは、テロを行った者に加えた刑事処分とは質の異なる予防拘禁と人権剥奪であり、日本を含む世界二二カ国も新疆における恣意的な抑留の停止を求める声明を国連人権高等弁務官事務所に送った（一九年七月）。だが、中国政府がウイグル族の強制収容を停止し、収容者を解放したという報道は見られない。

一九四九年以後の中国では共産党の独裁的支配が続いてきた。かつての文化大革命、あるいは天安門事件における虐殺を考えればわかるように、中国における大規模な人権弾圧は決して新しいできごとではない。だが、天安門事件の後でさえ、改革開放路線の下で中国が市場自由化を受け入れるなら、経済発展とミドル・クラスの台頭によって中国の政治も変わらざるをえなくなり、共産党による抑圧もやがては弱まってゆくだろうという観測が国際的に見られた。クリントン政権以後の関与政策の背後には、西側諸国との経済関係が深まり、中国がより豊かな社会に変わってゆけば、中国の政治体制も変わるだろうという期待が込められていた。

その期待は裏切られた。習近平氏が国家主席となった後の中国では、胡錦濤国家主席の時代よりもはるかに苛烈な国内社会への統制が日常化した。香港市民による異議申し立てが力によってねじ伏せられ、その意思に反してウイグル族が収容所に追い込まれていることから目を背けることはできない。

ペンス副大統領が二〇一八年一〇月にハドソン研究所で行った演説に見られるように、トランプ大統領の下でアメリカ政府は中国への全面的対抗を展開しているかのように見える。だが、ペンス氏の言葉にもかかわらず、アメリカ政府の関心は圧倒的に米中貿易問題に集中しており、人権抑圧についての関心はごく乏しい。オバマ政権の下でヒラリー・クリントン国務長官が繰り返し中国の人権状況を争点としたのとは大きく異なる対応である。

念のためにいえば、私は力の行使によって人権弾圧を解消することができるとは考えない。抑圧的な体制を軍事介入によって倒そうとすれば住民の安全を脅かし、生命さえ奪いかねない。特定の政治目的を正当化する手段として人権という言葉が使われたこともあった。

それでもなお、明白かつ大規模な人権侵害を黙認することがあってはならない。かつてアメリカは人権侵害に対抗する国際連携の中心だったが、香港における武力弾圧とウイグル族の強制収容に対する沈黙は、アメリカ政府が人権保障の国際連携から脱落したことを示している。しかし、人権保障は世界の課題である。いかに迂遠(うえん)に見えようとも、人権規範を共有する世界各国、そして中国国民との連携の下において、人権侵害に対する抗議の声を上げなければならない。

（二〇一九年一一月二〇日）

動乱期を迎えている国際政治

国際政治が動乱期を迎えている。その背景は国家の力の分布の変化、単純にいえば大国の凋落と新興国の台頭である。

覇権国家の凋落が国際政治を不安定にするという議論はロバート・ギルピンを代表として古くから国際政治学で行われてきた。この議論は、覇権を掌握した国家がその国益のために世界を支配するのではなく、むしろ覇権国家の主導と負担の下に覇権国家ばかりか世界各国にとっても利益となる秩序がつくられたと考え、覇権国家がその負担に耐えることができなくなることから覇権が凋落し、新興国が台頭すると主張してきた。覇権国家とはアメリカだけではないが、アメリカが含まれていることはいうまでもない。

乱暴に現実に当てはめるなら、国際政治経済では米ドルと自由貿易を基礎として通貨・貿易秩序、軍事領域では米軍を基礎として多国間の同盟秩序がつくられていることになる。もちろんアメリカ政府がどこまで公共的な役割を果たしているのか、また米ドルや米軍を公共財と呼んでよいのかどうか、疑わしい。ギルピンのように秩序維持の支えを覇権国家のパワーに求めるか、あるいはジョン・アイケンベリー（プリンストン大学教授）のように単独行動ではなく国際的な制度のなかで協調する覇権国家の自制に求めるのかによって、覇権と国際政治の捉え方は大きく異なる。それでも、日本を含む世界の多くの諸国がアメリカの影響力を認め、利用し、支えてきたことは否定できない。

覇権と国際関係は、戦争による覇権国の交代を中心に論じられてきた。私は覇権戦争が不可避だとも米中両国が戦争に向かっているとも考えない。だが、中国がアメリカに代わる覇権国家とならないとしても、アメリカが覇権国家としての役割から降りてしまう可能性は無視できないだろう。

既にその変化は起こっている。ＷＴＯではトランプ政権が上級委員選任に反対したため任期切れの委員を充足できず、ＷＴＯによる紛争処理はできない状況にある。二〇一九年一二月に開催されたNATO首脳会議は、国防費支出国内総生産比二%を求めるアメリカと他のNATO加盟国との溝を確認する結果に終わった。韓国に対しては在韓米軍撤収の可能性を示しつつ米軍駐留経費の五倍増を求めている。二〇二一年三月に期限を迎える在日米軍経費(思いやり予算)についてもアメリカは大幅増を求めていると伝えられている。

覇権国家としての負担を削減するためには貿易体制や同盟が動揺してもかまわないかのような政策だ。いま起こっているのは、アメリカがその主導の下につくった国際制度を見直し、アメリカの利益に沿うよう各国の譲歩を求め、譲歩が得られなければ制度から撤退するという変化である。

その背景は中国の台頭であるが、米中対立だけでこの変化を理解することはできない。もし中国への対抗がトランプ政権の目的であるとすれば、米国と同盟を結び自由市場経済をとる諸国と連携を強めることが合理的選択だが、米中貿易紛争と同時にEU、韓国、日本にも圧力を加えているからだ。

同盟国や友好国に圧力を加えながら新興大国中国に対抗する。これはアメリカにとって愚かな選択ではないかと私には思われるが、そのアメリカの同盟国や友好国も、覇権国家としてのアメリカを支えるためにどこまでの負担を受け入れるのかという選択を迫られる。そして、通商政策で譲歩し、国防支出や駐留経費増を受け入れたところで友好国の希望する政策をアメリカがとる保証はどこにもない。

中国はアメリカに代わる覇権をまだ持たないが、軍事と経済で圧力を加えられるなかでアメリカに譲歩する代償は大きく、貿易合意は限定的なものにとどまり、貿易紛争が継続する。中ロ両国は軍事演習を重ねており、通常兵器の革新は進むものの核戦力の規模が劣る中国と核大国ではあるが通常兵器の老朽化したロシアが補い合う軍事ブロックが生まれるなら冷戦のような勢力配置が再現してしまう。

さらに、技術革新の主導権を新興大国が握る恐怖が科学技術と地政学的対立を結びつける。いまでも5Gネットワークの開発競争はゼロサムゲームの様相を呈しており、冷戦時代の核軍拡競争のように技術の競争は軍事的緊張を加速することになるだろう。

そして世界経済が後退する危険がある。トランプ政権の下のアメリカは景気後退に遭っていないが、好況と不況のサイクルは避けることができない。経済が減速する中国に加えてアメリカが不況に直面する時、覇権国家の後退と国際政治の不安定はさらに進むとしか考えられない。国際政治は、確かに、動乱期を迎えている。


（二〇一九年一二月一八日）

力の格差は当てにならない

戦争へのエスカレーションはどうすれば回避できるのか。年初に展開したアメリカ・イラン危機のなかで考えさせられたのはこの問いだった。

二〇二〇年一月三日、イラン革命防衛隊の精鋭コッズ部隊のソレイマニ司令官が、米軍の無人攻撃機によって殺害された。イランは八日に米軍の駐留するイラクの基地にミサイルを発射した。

戦争の危険が高まるなか、イランのザリフ外相が報復は完了したと発表し、これ以上攻撃は加えない意図を窺(うかが)わせた。トランプ米大統領もイランは沈静化しつつあると述べた。

イラン政府は危機を拡大しない方針をなぜとったのか。イランがミサイルを発射したしばらく後、テヘランを離陸したウクライナ航空機が墜落した。ミサイル誤射によることをイラン政府が認め、ロハニ大統領が謝罪したのは数日後だが、この誤射が影響した可能性は高い。いかに誤射によるとしても、民間人多数を殺傷する行動は弁護の余地がない。撃墜した事実をアメリカが暴露すれば、アメリカがイラン本土に大規模な攻撃を加え、その攻撃をアメリカ国民が支持する可能性も生まれる。アメリカとの戦争で勝利を収める公算の乏しいイランにとって破滅的事態だ。

つまり、航空機撃墜という致命的な誤りがイランの不拡大方針を支えていると考えられるのである。また、革命防衛隊強硬派に対してロハニ大統領の影響力が短期的には拡大し、欧米諸国を軍事的に挑発する行動も収まっている。

だが問題はこれだけでは終わらない。イラク、そしてイランの国内政治の不安定が背景にあるからだ。

過激派組織「イスラム国」の退潮とともにイランと結びついた勢力がシリアからイラクにかけて相対的な優位に立ったが、それらの武装勢力がイラン政府の指示に従って行動するとは限らない。昨年末のイラクでは米軍の駐留するグリーンゾーンを取り囲むように群衆が集結して示威行動を展開した。米軍撤収を求める勢力による米軍兵士への攻撃が繰り返されたなら、アメリカが革命防衛隊を再び攻撃する可能性が生まれる。そのときイラン政府が不拡大方針を貫く保証はない。

既にイラクでもイランでも反政府運動が高揚し、イラクでは武力弾圧による死者が増えている。イラクの内政不安定はイランの強硬派によるイラク国内の活動を強めかねない。統治の不安定化が国際危機を拡大する構図である。

これまでのトランプ政権は脅しには積極的でも戦争には消極的だった。イランとの六カ国核合意から離脱して経済制裁を再開し、核合意にとどまる各国に経済制裁への参加を要求するなどイランに最大限の圧力を加え、サウジアラビアの石油施設にイランからとおぼしい攻撃が加えられた後もイラン本土を攻撃しなかった。

武力行使に訴えなければ威迫の効果は乏しい。ソレイマニ司令官殺害は、イラン本土への攻撃ではないが革命防衛隊に打撃を与える点において、最小限のコストで最大限の効果を上げる選択だった。

だが、束(つか)の間の平和が長続きするとは考えにくい。アメリカ・イラン両国は不拡大方針をとっているが、二〇一九年一二月に見られたようなイラクにおける米国人殺害が相次ぐことになれば、全面戦争の意思はないのに武力行使に訴えざるを得ない状況が再現してしまう。

六カ国核合意は、核開発を制限すれば経済制裁を段階的に解除するという取引だった。合意から撤退したアメリカは、イランがどのような政策に転換すれば制裁を解除するのか明示していない。解除条件を示さない経済制裁が相手の行動を変えることは期待できない。六カ国核合意のような外交の試みを無視する限り、国内の反体制運動によってイラン政府が倒れることを期待するか、イラン本土への攻撃に追い込まれるか、どちらかの選択肢しか残らない。

力を示せば戦争を防止できるとは限らない。第一次世界大戦前のオーストリアとセルビアとの間には明らかな力の格差があったが、力の差にもかかわらずセルビア人青年はオーストリア皇太子を殺害した。サラエボの銃声を繰り返さないためには、アメリカ・イラン両国を六カ国核合意に引き戻さなければならない。

イランとの緊張削減に努めてきたのはフランスのマクロン大統領と並んで安倍晋三総理である。だが、二〇一九年六月のイラン訪問も、一二月のロハニ大統領との会談も成果を上げていない。束の間の平和を武装勢力が壊す前に、ワシントンの意図をテヘランに伝えるばかりでなく、ワシントンの政策を変えるような外交努力を日本政府に求めたい。

（二〇二〇年一月二二日）

あとがき

この本は、二〇一一年四月から二〇二〇年一月までのおよそ十年、毎月一回「朝日新聞」に連載されたコラム「時事小言」をまとめたものである。原文の修正は最小限に留めたが、分量を抑えるためにいくつかの文章は割愛した。

変化の大きな十年だった。連載を始めたのは東日本大震災の直後、日本は民主党政権、アメリカではオバマ大統領の時代だった。それから日本では安倍政権が、アメリカではトランプ政権が生まれた。民主主義という制度の下で政治的競合が弱まってゆく時代だった。

東アジアでは緊張が拡大した。まず、中国とアメリカや日本を始めとする世界各国と中国との緊張が激化した。新たに国家主席となった習近平の下で共産党の国内社会への統制が強化され、中国を軍事的脅威とみなす認識は東アジアばかりでなくヨーロッパ諸国にも拡大していった。北朝鮮についてはミサイル・核実験が繰り返された後、米朝首脳会談によって新たな非核化の展望が生まれたとの議論はあったものの、核軍縮の実効的な措置は見られないまま現在に至っている。日韓関係を見れば、朴槿恵大統領の下で歴史問題について合意が見られたものの、文在寅政権の下で合意は破棄され、過去を巡る争いが現在の日韓関係を壊してしまった。

国際的緊張ばかりでなく戦火が拡大したのが北アフリカ・中東地域である。連載を始めたころはアラブの春が議会制民主主義の定着ではなく、新たな混乱を生み出してゆく時代だった。NATO（北大西洋条約機構）が介入したリビアではカダフィ政権こそ倒されたものの新たな内戦が起こってしまう。シリア内戦では国連が軍事介入を行わず、オバマ政権の下で軍事介入が展開した後も、アサド政権による蛮行とISIS（いわゆる「イスラム国」）による蛮行が競い合うようにエスカレートした。イランについては核開発の制限について常任理事国五カ国とドイツが合意したものの、トランプ大統領がこの核合意から撤退することによってアメリカとイランの間で戦争の危機が続くことになる。

時事評論を書くことは、クラウゼヴィッツをもじっていえば「戦場の霧」に覆われ、目の前を見通すことのできない現実を前にして、ごく限られた情報をもとに考える試みだった。どの事件が重要なのか、何が突発的な一過性の事件であり、どの事件がより構造的かつ不可逆的な変化の表れなのか、その状況のなかにあるものにとっては見分けることができない。先の見えない霧のなかで、できる限り正確に現状を把握することに努めてきた。

楽しい作業とは言えなかった。この十年、私の予想よりも状況が以前よりもさらに悪化したと判断せざるを得ない事件や変化が多かったからだ。悪化という言葉に価値判断が含まれていることはいうまでもないが、よくない世の中だという老人の繰り言ではない。何が望ましいかという規範的な意味ばかりでなく、自己利益を増進するという意味においても不合理な選択が世界各地で繰り返されてきた。イギリスのEU離脱もトランプ政権の誕生も、イギリス、アメリカ、あるいは世界各国から見て災難と呼ぶ他のない変化であった。

しかも、その変化をイギリス国民やアメリカ国民が選んだことは否定できない。ハーメルンの笛吹きに付き従うように人々が自ら望んで崖に飛び込んでゆく姿をただ観察者として見るだけなのだから、嬉しいはずがないだろう。

それでも、国際情勢について、ない知恵を絞って考える作業には、いつも興奮を誘う魅力があった。先が見えないからこそ先を見たくなるわけだ。自分の知識と判断力の限界を呪いながら、どこまでどのような判断を下すことができるのか、濃霧に包まれたなかで書いてきた。

そして、一人で行う作業ではない。広島県の湯﨑英彦知事の呼びかけで始まった「ひろしまラウンドテーブル」、プリンストン大学・北京大学・高麗大学・シンガポール国立大学・東京大学の専門家が集まる五大学東アジア安全保障会議などの国際会議は、現在をつかもうとして苦闘する同僚と共に考える空間だった。一緒に考えることのできる友人に恵まれたことを幸せに思う。

朝日新聞でコラムを担当してくださった方々にとって、私は悪夢のような書き手だったと思う。締め切りを大幅に遅れた原稿を待ち続け、ごく限られた時間のなかで、送られてきた原稿を検討しなければならない。原稿を書くことは、編集者との共同作業だ。文章を読者の手元に届けるため、共同作業に加わっていただき、一字一句に至るまで丁寧に見続けてくださった皆さまに、この場を借りて心から感謝申し上げたい。塩倉裕氏、上原佳久氏、藤井裕介氏、高久潤氏、村山正司氏、そして新書の編集をご担当になった中島美奈氏、誠にありがとうございました。

時事評論はそのときそのときに読まれ、役割を終える文章である。それでも、そのような文章をひとまとまりにすれば、書かれたときのよろこび、悲しみ、そして驚きを含め、その時代の表現を見ることはできるだろう。そして、本を読むのはその時代に生きる人ばかりではない。あとから生まれる人たちにこの本を捧げたい。

二〇二〇年二月一〇日

藤原帰一

肩書き、組織名などは当時のものです。各回末尾にある日付は掲載日です。

藤原帰一 ふじわら・きいち
国際政治学者。東京大学未来ビジョン研究センター長。1956年、東京都生まれ。東京大学法学部卒業、同大大学院博士課程単位取得中退。フルブライト奨学生としてイェール大学大学院留学。ウッドロー・ウィルソン・センター研究員、ジョンズ・ホプキンス大学高等国際研究院客員教授などを歴任し、東京大学大学院法学政治学研究科教授。専門は国際政治、東南アジア政治。著書に『平和のリアリズム』(第26回石橋湛山賞)、『戦争を記憶する』『戦争の条件』など。

朝日新書
758

不安定化する世界

何が終わり、何が変わったのか

2020年3月30日第1刷発行

著　者　藤原帰一

発行者　三宮博信
カバーデザイン　アンスガー・フォルマー　田嶋佳子
印刷所　凸版印刷株式会社
発行所　朝日新聞出版
〒104-8011　東京都中央区築地5-3-2
電話　03-5541-8832（編集）
　　　03-5540-7793（販売）

Published in Japan by Asahi Shimbun Publications Inc.
ISBN 978-4-02-295064-2
定価はカバーに表示してあります。
落丁・乱丁の場合は弊社業務部(電話03-5540-7800)へご連絡ください。
送料弊社負担にてお取り替えいたします。

朝日新書

閉ざされた扉をこじ開ける
排除と貧困に抗うソーシャルアクション

稲葉 剛

25年にわたり、3000人以上のホームレスの生活保護申請に立ち合うなど貧困問題に取り組む著者は、住宅確保ができずに路上生活から死に至る例を数限りなく見てきた。支援・相談の現場経験から、2020以後の不寛容社会・日本に警鐘を鳴らす。

患者になった名医たちの選択

塚﨑朝子

がん、脳卒中からアルコール依存症まで、重い病気にかかった名医たちが選んだ「病気との向き合い方」。名医たちの闘病法に必ず読者が「これだ!」と思う療養のヒントがある。帚木蓬生氏（精神科）や『空腹』こそ最強のクスリ』の青木厚氏も登場。

自衛隊メンタル教官が教える
50代から心を整える技術

下園壮太

老後の最大の資産は「お金」より「メンタル」。気力、体力、脳力が衰えるなか、「定年」によって社会での役割も減少します。「柔軟な心」で環境の変化と自身の老化と向き合い、新たな生き方を見つける方法を実践的にやさしく教えます。

江戸とアバター
私たちの内なるダイバーシティ

池上英子
田中優子

武士も町人も一緒になって遊んでいた江戸文化。それはダイバーシティ（多様性）そのもので、一人が何役も「アバター」を演じる落語にその姿を見る。今アメリカで議論される「パブリック圏」をひいて、日本人が本来持つしなやかな生き方をさぐる。

不安定化する世界
何が終わり、何が変わったのか

藤原帰一

核廃絶の道が遠ざかり「新冷戦」の兆しに包まれた不穏な世界。民主主義と資本主義の矛盾が噴出する国際情勢をどう読み解けばいいのか。米中貿易摩擦、香港問題、中台関係、IS拡散、反・移民難民、ポピュリズムの世界的潮流などを分析。

モチベーション下げマンとの戦い方

西野一輝

細かいミスを執拗に指摘してくる人、嫉妬で無駄に攻撃してくる人、意欲が低い人……。こんな「モチベーション下げマン」が紛れ込んでいるだけで、情熱は大きく削がれてしまう。再びやる気を取り戻し、最後まで目的を達成させる方法を伝授。